SALVADOR AGUAD

ALGUNAS OBSERVACIONES SOBRE
EL LAZARILLO DE TORMES

EDITORIAL UNIVERSITARIA, GUATEMALA, 1965

Esta primera edición de ALGUNAS OBSERVACIONES SOBRE EL LAZARILLO DE TORMES consta de 2,000 ejemplares: 1,900 en papel *antiguo vergé;* 100 en papel *olde style* de los cuales 90 numerados del 1 al 90 y 10 señalados con los letras de *A* a *J*: los 100 ejemplares encuadernados en tela negra.

EDITORIAL UNIVERSITARIA

Vol. Núm. 51

3460ABC-2m.-9-65 Impreso Nº 783

Impreso en Guatemala, Centro América — IMPRENTA UNIVERSITARIA

A Caridad, mi mujer.
Y a Janet y Gustavo Stahl,
mis buenos amigos.

DOS NOTAS NECESARIAS

NOTA PRIMERA

De esto hace ya muchos años. Era por marzo de 1943. Viejos amigos (ingleses, franceses, españoles, americanos, judíos, belgas, etc.) buscábamos —casi enloquecidos— cómo escapar de la brutalidad nazi-alemana. Hallamos, por fin, un transitorio refugio: una casa amiga, en las afueras de Toulouse. ¡También las casas podían resultar enemigas!

Una brizna de esperanza rondaba por nuestras conversaciones, por nuestras miradas, por nuestros movimientos: el futuro, aunque lejano (¡lejanísimo!), nos hacía señas. Sin embargo, nuestro miedo —miedo palpable y envolvente— adoptaba la terrorífica configuración de las mazmorras de la gestapo y, como remate, los campos de concentración en Alemania: la aniquilación del hombre como ser humano.

Uno de nuestros amigos, François Vidal *(nombre de guerra; su verdadero nombre: Francisco Ponzán*

Vidal), con gran serenidad (¿De dónde la sacaba, Dios mío?), nos alejaba de la inquietud y del miedo. En cualquier momento encontraba algún asunto que nos desviase del presente. Recuerdo con cuánta insistencia nos empujaba *hacia el siglo XVI europeo (¡La Europa del Renacimiento, del Humanismo!) y cómo nos entreteníamos en su literatura: Ronsard, Rabelais, Ariosto, Camoens, etc. Y de repente, un salto: hacia la España del dieciséis. ¡Qué días aquellos! ¡Garcilaso, Fray Luis de León, Santa Teresa, San Juan, Herrera, los Valdés... y el* LAZARILLO*! Sí. El* LAZARILLO *en medio del terror, del espanto, de la vecina muerte.*

Nos sosteníamos en el pasado, como si fuese un objeto real, de defensa y salvación: nuestros clásicos, que estaban ahí, a nuestro lado, vivos, eternos ... y nos llenaban de vida, de cara a una horrenda muerte, que estaba al acecho, con los ojos muy abiertos, esperando, siempre esperando ... con grandes botas negras y hablando alemán (¡ay, la lengua de Goethe y de Schiller!)

Por no tener libros, nos dedicábamos a recordar argumentos. El del LAZARILLO *era el más gustado. También* PANTAGRUEL. *Equivocábamos acciones, nombres de personajes, de lugares ... A veces reíamos: cada uno recordaba su* LAZARILLO *y le asignaba el punto de vista de la lengua en que lo había leído: inglés, francés, yiddish ... Se discutía (¡Qué osadía!) sobre el original y las traducciones.*

> —¿Por qué, cuando acabe esta carnicería, ya en calma, si vivimos, no escribes algo sobre el LAZARILLO? Quizá le descubras algunas cosillas... El miedo es, *por veces (era su favorita frase de apoyo)*, un buen descubridor de cosas ocultas...

Eran palabras del amigo François (del buen Paco, *para sus íntimos). Son las últimas que recuerdo. Todavía las oigo. Y las oiré siempre. Llegó la hora de la separación: cada uno buscó un* camino *de escape, o un lugar* seguro *(¡Qué ilusiones!)*

Muy poco tiempo había pasado y llegó la noticia, *o como diría el divino Virgilio,*

> Fama, malum qua non aliud uelocius ullum.
>
> (*ÆN.*, iv, 174)

Temblaron los oídos y se asustó de espanto el miedo,

> ¡François Vidal ha sido quemado vivo! Atado a un árbol. En las afueras de Toulouse...

por la muerte que hablaba alemán y llevaba altas botas negras. (¿Dónde estabais, Hölderlin, Nietzsche, Rilke...? ¡Cómo hubieseis llorado!)

Otras cosas tan terribles (o más terribles) acosaban nuestros oídos, nuestras almas, nuestras vidas... Y terminó la guerra.

La idea de hacer *algo sobre el* LAZARILLO *me perseguía con doloroso recuerdo: si un día me ayudó a huir del presente, ahora me empujaba hasta el amargo y desolado pretérito, con sus aterradores gritos.*

Guatemala —mi patria— y su Universidad me devolvieron a una vida de estudio y trabajo: de espiritual sosiego. Mas, siempre que me acercaba (en la clase, en el pasillo, en la lectura...) al LAZARILLO DE TORMES, *directa o indirectamente, renacía (¡Cuántos renaceres!) en mi alma la obligación de hacer* ese *algo. Y así cada curso, cada seminario, cada año...*

Por causa de todo lo expresado (¡Cómo me duele el contar, Dios mío!), estimo que el espíritu *que vive detrás de estos sencillos capítulos (que ahora pongo en tus manos, querido lector) bien merecería el nombre de* STUDIA LAZARIANA MEMORIÆ FRANCISCI PONZAN DEDICATA.

NOTA SEGUNDA

Con estas Observaciones *no intento mejorar ni corregir cuanto se ha dicho sobre el* LAZARILLO. *Por el contrario, tengo muy en cuenta a todos los estudiosos e investigadores que se ocuparon de él. Y algo más, sin sus trabajos es casi seguro que este libro no tendría la existencia que hoy tiene.*

Su nacimiento, *como el de Lázaro, fue en las difíciles horas de preparación de clase, en la misma clase, en los seminarios y en aquellos momentos de* otium *que la Universidad de San Carlos de Guatemala, en su Facultad de Humanidades, me procuró.* Por la cual causa *—como dice Lázaro— hubiese podido llamarle 'Algunas lecciones sobre el* LAZARILLO DE TORMES'. *Con todo, me pareció más indicado y sencillo el título que ahora lleva:* ALGUNAS OBSERVACIONES SOBRE EL LAZARILLO DE TORMES.

Mis observaciones *abarcan varios campos: tópica, tiempo, ser y parecer, etc. En cada uno de ellos* me encaro con el LAZARILLO e intento decir (¿lo habré conseguido?) lo que creo que el texto declara de suyo.

En cuanto a los métodos, empleados en cada capítulo, es mi parecer que se denuncian por sí.

El hecho de que haya entendido el LAZARILLO como un todo cerrado y en ningún caso abierto (como explico en el capítulo X) es por lo que creo que no le corresponden las etiquetas, tan repetidas en las historias de la literatura, de 'anti-novela de caballería', 'anti-novela sentimental' o cualesquiera de los 'anti-' puestos en circulación. Como también me parece excesivo el empleo del término 'anti-héroe' para explicar el nacimiento del personaje y así en toda la picaresca, como si el LAZARILLO fuese de suyo una novela picaresca. Opino, por lo contrario, que el autor (con ese gran sentido que tenía de la existencia humana y artística) comprendió la falta que hacía en el mundo de un personaje que no se había tenido en cuenta hasta entonces: Lázaro. Dominado por esa idea de totalidad, lo trae al mundo de la literatura, con lo cual ese mundo queda cerrado de una vez para siempre, como verdaderamente debía estarlo: lo cotidiano pasa a convertirse en obra de arte, sin tener que eliminar, por sublimación (lo que hubiere sido su muerte antes de nacer), esa cotidianidad.

Sin embargo, pienso que la fuerza escondida que contiene el LAZARILLO DE TORMES no se agota ni se agotará con investigaciones y estudios parciales o totales. Todos juntos nos pondrán siempre en camino de ir más lejos. Este libro es un acercamiento (quizá discutible) al espíritu que vive en el LAZARILLO.

Antes de dar fin a esta segunda nota, deseo hacer público mi más sincero agradecimiento al Sr. Rector de la Universidad, Ing. Jorge Arias de Blois, por el *interés que demostró, en todo momento, para con mi libro. También doy las gracias a mis ex-alumnos (hoy mis colegas en la Universidad) Roberto C. Corpeño, Gervasio Accomazzi, Guillermo Putzeys y Amílcar Echeverría por la colaboración que me prestaron en la corrección de pruebas; a mis alumnos tanto de la Facultad de Humanidades como del Departamento de Estudios Básicos, y no puedo dejar en el olvido (¡Cómo olvidarlos!) a todo el personal de la Imprenta Universitaria y, en especial a don Hugo R. Ávila Salazar, linotipista, a don Ángel Amenábar Molina y don F. Javier Iriarte Flores, compaginadores, y a don G. Rolando Ávila Salazar, cilindrista. Todos, con su ayuda, han hecho posible estas* OBSERVACIONES SOBRE EL LAZARILLO *que hoy pongo en tus manos, querido lector. Es casi seguro que las* virtudes *que le encuentres pertenezcan a quienes me antecedieron en esta clase de quehaceres. Los defectos —sin ninguna duda— son absolutamente míos.*

Guatemala, mayo de 1965.

INDICE GENERAL

I. SOBRE EL PRÓLOGO DEL LAZARILLO

Desde las primeras palabras del prólogo, el autor del *Lazarillo de Tormes,* a la vez que declara las razones de su libro, excita la temporalidad del lector, para que éste se sienta atraído por el t i e m p o de *cosas tan señaladas* como las que va a contar,

> Yo por bien tengo que cosas *tan señaladas y por ventura nunca* oydas ni vistas vengan a noticia de muchos *y no se entierren en la sepultura del oluido,* pues podria ser que alguno, *que las lea,* halle algo que le agrade y a los que no ahondaren tanto, los deleyte.
>
> (pp. 59-61) [1]

---

1 Para el *prólogo* sigo la edición de Julio Cejador y Frauca (Madrid, 1949). En algunos casos altero la puntuación. El subrayado es mío, tanto en este trozo como en los que siguen. En caso contrario, se advertirá en nota.

El "yo" inicial y dominante de este comienzo de prólogo suministra a la obra, que va a tener principio, un temple de autobiografía real. No es el 'cronista' que finge *sacar a luz* una obra "que vio escrita en unos cartapacios"[2] ni el autor conocido (Mateo Alemán, Vicente Espinel, Francisco de Quevedo, López de Úbeda, etc.) que, después del prólogo o del *aviso* al lector, empieza la narración con un 'yo literario' *(Guzmán de Alfarache, Marcos de Obregón, Pablos,* etc.); es el 'yo, Lázaro de Tormes'[3] que anuncia cómo y por qué va a relatar su vida,

> E todo va desta manera: que confessando yo no ser mas sancto que mis vezinos, desta nonada, que en este grossero estilo escriuo, no me pesara que ayan parte y se huelguen con ello todos los que en ella algun gusto hallaren y vean que biue vn hombre con tantas fortunas, peligros y aduersidades.
>
> (pp. 63-64)

El lector, por virtud del texto precedente, queda atrapado en un extraño complejo verbal-temporal: *"se*

2 Así lo encontramos en el *"A los lectores"* de la *Segunda parte del Lazarillo de Tormes* de H. de Luna (*La Novela Picaresca Española,* ed., prólogo y notas de A. Valbuena y Prat, Madrid, 1949), p. 114. Cf. además, E. Richard Sims, edit., *La Segunda Parte de la Vida de Lazarillo de Tormes* (University of Texas, Austin, 1928).

3 Cuán diferente es el "yo" que encontramos (después de haber leído la aprobación de ley, o la dedicatoria del autor, o la nota al lector) en las obras de Alemán, Espinel, Quevedo, López de Úbeda, aunque en alguna de ellas se lea, como es el caso para *La Pícara Justina* (en A. Valbuena y Prat, *La Novela Picaresca Española*): "Introducción general para todos los tomos y libros, *escrita de mano* de Justina"; p. 710. El subrayado es mío.

huelguen con ello ... y vean que biue vn hombre con tantas ..." Es decir, por un lado, el tiempo del regocijo, del entretenimiento y de la alegría (*"se huelguen con ello"*); por otro, el tiempo de la palpable vida (*"y vean que biue ..."*) de este hombre —este hombre que ahora escribe—, acosado por tantas *fortunas, peligros y adversidades.*

Las dos situaciones, analizadas en el prólogo, permanecerán trabadas en una sola unidad narrativa después. Y, para que el espíritu del lector se sienta en el ámbito de lo verdadero, el 'yo narrante' busca amparo en una supuesta persona real, cuyo nombre se cobija detrás de la sencilla fórmula *V[uestra] M[erced]*, pero cargada de connotaciones humanas para la mente del lector. Mucho más que si se hubiese servido de un nombre propio fingido,

> Suplico a vuestra *M.* reciba el pobre seruicio de mano [...]. Y pues *V. M. escriue se le escriua* y relate el caso muy por extenso, paresciome no tomalle por el medio, sino del principio, porque se tenga entera noticia de mi persona.
>
> (p. 64)

Este recurso, que encuentra su punto de apoyo realista en la segunda persona, "*Suplico a V. M.*" (puesta al final del prólogo con toda intención, y no al principio), configura un ambiente caldeado de vida y de intimidad, casi coloquial.[4] El lector ya no tiene

4 Quizá podría añadirse ahora lo que señala G. Siebenmann (*Über Sprache und Stil im Lazarillo de Tormes*, Bern, 1953) en cuanto a que tiene rasgos que pertenecen más bien a la narración oral, p. 73; y véase también mi n. 2, en la p. 42.

dudas; nada es fingido: se trata de la existencia de este hombre —Lázaro— en un tiempo dado; tiempo durante el cual se verá una vida cargada de *fortunas, peligros y adversidades.* Y, para mayor razón y seguridad, no hay otro nombre —en ninguna parte del libro— que no sea el de Lázaro. ¿No será acaso[5] —el hecho de sacrificar el autor su nombre, para siempre, en la anonimia— una característica de su arte de novelar?[6] Pues creo que ya es hora de desembarazarnos del problema de autor[7] respecto

5 Se me ocurre pensar si esa actitud no es un anticipo de la llamada *impersonalidad de autor* respecto de su obra, que más tarde constituirá una técnica muy de G. Flaubert y, con otras condiciones, se verá cumplida en los escritores del siglo XX (Rilke, T. S. Eliot, Joyce, etc.), pero que en el *Lazarillo* se cumple muy *a la española*: de verdad y no en apariencia. Véase lo que dice Hurtado Giol respecto de Rilke, en R. María Rilke, *Antología Poética* (Barcelona, 1959): "Su paso por la tierra fue sutil, alado, como si el poeta se empeñara en ocultar su personalidad para que cobrara más relieve su obra, independizada de su autor". p. xi.

6 Queda fuera de razón el *anticlericalismo erasmista* que tantas veces se ha esgrimido para justificar el anónimo. Son de gran interés las palabras de Marcel Bataillon, en *Erasmo y España* (México, 1950; tr. de A. Alatorre): "...y esta idea de un *Lazarillo erasmizante* tuvo bastante buena fortuna. Sin embargo hay que reconocer que no resiste a un examen a fondo. [...] Lo que había inducido a Morel-Fatio a suponerlo era el carácter anticlerical de los episodios [...]. *En vano buscamos qué es lo que añade a la tradición medieval* [...]. La sátira erasmiana estaba animada de otro espíritu; no reprocha a los sacerdotes vivir mal, «sino creer mal» [...]. Si supiéramos por algún testimonio fehaciente que el autor es un erasmista, habría que concluir que lo oculta muy bien". t. I, p. 211 *s*. El subrayado es mío.

7 Cada estudioso tiene su particular razón por lo que toca al autor: debió pertenecer al círculo de los erasmistas: Morel-Fatio; "es muy probable que su autor fuera un converso": Américo Castro (*España en su Historia*, Buenos Aires, 1948, p. 569 y n.); es Sebastián de Horozco: Julio Cejador y Frauca; o Hurtado de Mendoza: Alda Croce, L. J. Cisneros, etc.; o Fray Juan de Ortega, para quien se toma como base la conocida nota del P. Sigüenza. M. Bataillon intenta tomar pie en una de las dos intenciones que le señala al libro el P. Sigüenza: "guardar el decoro" Cf. *Le Roman Picaresque* (Paris, 1931) y *El Sentido del Lazarillo de Tormes* (Paris, 1954). Últimamente, un jurista (Tierno Galván) pensó que el autor del *Lazarillo* podía haber sido un *comunero;* etc.

del *Lazarillo de Tormes* y ocuparnos del problema literario que es lo que nos urge: los investigadores han perdido y seguirán perdiendo tiempo y trabajo. El argumento usado, como era natural, atraía a los estudiosos: si es una sátira social, ¿por qué puede sorprendernos que el autor se esconda y prefiera dejar la obra en el anónimo? Los opositores a ese razonamiento encontraron un modo fácil de resolver el asunto: si se le rebaja importancia al elemento satírico, no hay duda que decrece el interés por un autor que no quiere declarar su nombre. ¿Por qué lo iba a ocultar? Eliminado, así, el motivo —el *elemento satírico*—, se puede entonces formular otra *razón* que encaje con el *nuevo* autor que el estudioso tiene ya preparado para solucionar la cuestión de autoría.

No es tan fácil, como a primera vista se ha creído, eliminar el *elemento satírico*. El *Lazarillo* lo tiene, y muy intenso. Está ante nuestros ojos y el texto se opone de suyo a quienes traten de rebajárselo, colocarlo de lado o no querer verlo. El argumento debe establecerse de modo muy diferente: tal y como la obra lo declara. Es decir, urge efectuar un cambio, no en la obra, sino en el punto de vista del observador: el libro no intenta ni desea ni quiere en ningún caso llevar a cabo, como fin, una sátira de la sociedad del siglo XVI; por el contrario, la *sátira social* es un importantísimo elemento literario y, como tal, colabora con los otros elementos en el arte —su auténtico fin— que penetra y configura el *Lazarillo de Tormes*. Precisamente, por su engarce con lo medieval —como se ha señalado—, aprovecha sus métodos, pero con ojos de humanista. En nuestro libro no es necesario ensalzar una o varias partes a costa de otras.

No obstante el examen que hemos hecho, el prólogo tiene —amén de algunas citas de autores latinos[8]— abundante material de ese "almacén de provisiones" llamado por Ernst Robert Curtius "t ó p i c a". El estudioso que haya tenido trato con el capítulo dedicado a los "t o p o i", en la grandiosa y monumental *Europäische Literatur und lateinisches Mittelalter* (Bern, 1948),[9] encontrará en el prólogo del *Lazarillo*

---

8 Plinio, *Epist.*, 5, 3; Cicerón, *Tusculanae Disputationes*, 1, 2. Luego, en la obra, citará a Ovidio, a Macías, la tela de Penélope, etc.

9 Hay una excelente traducción de Margarita Frenk Alatorre y Antonio Alatorre (México, 1955), de la que nos serviremos para nuestras citas. Dice Ernst R. Curtius en la p. 122: "en el antiguo sistema didáctico de la retórica, la tópica hacía las veces de almacén de provisiones; en ella se podían encontrar las ideas más generales, a propósito para citarse en todos los discursos y en todos los escritos." Unas líneas antes había dicho: "¿Cómo nos atreveremos a solicitar su interés por la tópica, que el mismo investigador de la «ciencia literaria» apenas si conoce, empeñado como está en esquivar los sótanos —y los fundamentos— de la literatura europea?" Véase lo que dice, como elogio para Curtius, W. Kayser en el prólogo de su libro *Das Sprachliche Kunstwerk, eine Einführung in die Literaturwissenschaft* (Bern, 1948); o las aportaciones, tan cuidadosas e interesantes, de María Rosa Lida de Malkiel, al libro de Curtius, en *Romance Philology*, V, pp. 93-131; lamento profundamente no conocer el último trabajo de María Rosa Lida de Malkiel "Función del cuento popular en el *Lazarillo*" (presentado al Ier. Congreso Internacional de Hispanistas, Oxford, 1962 y leído por la Profesora Barrenechea, por causa de enfermedad de la autora) que como todos sus estudios deberá ser una fundamental aportación al *Lazarillo*. Ya escrita esta nota, he sabido de la muerte de tan ilustre estudiosa. ¡Qué terrible pérdida para la filología española y para su esposo, el ilustre romanista Yacob Malkiel! Véase también Dámaso Alonso en su libro *De los siglos oscuros al de Oro* (Madrid, 1958), donde señala su particular manera de utilizar la "tópica", pp. 74-85.

un gran racimo de ellos. He aquí algunos ejemplos:

De la tópica del *exordio,*[10]

> cosas [...] nunca oydas ni vistas...
>
> * *
>
> Y no se entierren en la sepultura del oluido...
>
> * *
>
> sino que a todos se comunicasse, mayormente siendo sin perjuyzio e pudiendo sacar della algun fructo.

De la tópica de la *falsa modestia,*[11]

> que confessando yo no ser mas sancto que mis vezinos, desta nonada, que en este grossero estilo escriuo...
>
> * *
>
> reciba el pobre seruicio de mano...
>
> * *
>
> y pues V. M. escriue se le escriua y relate el caso muy por extenso.

---

10 Curtius, *o.c.*, pp. 131-136; Horacio, *Od.*, III, 1, 2; Dante, *De Monarchia*, I, i, 3; Boccaccio, *Tesedia*, XII, 84; Ariosto, *Orlando*, 1, 2; San Mateo, XXV, 18; Alain de Lille, *PL*, CCX, col. 586B; Dante, *id.*, 1, 1, 3: "... ne de infossi talenti culpa redarguar." San Pablo, *Ad Corinthios prima*, XIV, 14; Séneca, *Epist.*, VI, 4; Catón, IV, xxiii, etc.

11 Curtius, *o.c.*, pp. 127-131; Tácito *Agric.*, III; Aulio Gelio, *Noctes Atticae*, pre., 10; Garcilaso de la Vega, *Eglog.*, III, v. 35 s.: "ni desdeñes aquesta inculta parte / de mi estilo." Virgilio, *Geor.*, III, 41: Cicerón, *Orator*, en el proemio; Arnobio y otros: "*mediocritas mea*", "*mea exiguitas*", etc. Esa fórmula, la señalada para Virgilio y Cicerón, se repite varias veces en el texto del ***Lazarillo.***

De la tópica de la *conclusión*,[12]

> pues no se haze sin trabajo [*i.e.* e l e s c r i b i r]...
>
> * *
>
> Y quánto mas hizieron los que, siendoles contraria [*i.e.* f o r t u n a], con fuerça y maña remando salieron a buen puerto.

De la tópica de *apoyo en los antiguos*, [13]

> E a este proposito dize Plinio...
>
> * *
>
> Y a este proposito dize Tulio...

De la tópica del *escollo, la nave y el buen puerto*,[14]

> siendoles contraria [f o r t u n a], con fuerça y maña remando salieron a buen puerto.

Estos detalles, que hemos enumerado, vienen a demostrar el saber r e t ó r i c o - m e d i e v a l[15] de nuestro autor. Estaba al tanto de todos los *recur-*

12 Curtius, *o.c.*, pp. 136-139; Esmaragdo, *Poetae*, p. 165. Curtius, *o.c.*: "el final... debía resumir los puntos principales y dirigirse después a los sentimientos del oyente." p. 136.

13 Curtius, *o.c.*, p. 47 y p. 296 *ss*; Leo Spitzer, "Dos observaciones sintáctico-estilísticas", *NRFH*, IV, (1950), pp. 1-24; Leo Spitzer, *Romanische Literaturstudien* (Tübingen, 1959), pp. 100-112.

14 Horacio, *Odae*, III, i, 14; Quintiliano, Instit., VIII, 6, 44; Cicerón, *Ad Atticum*, XV, ii, 3.

15 Lo cual coincide con su anticlericalismo de carácter *medieval*. Cf. *supra* n. 5; se pueden ver curiosos datos en Marcel Bataillon, *El sentido del Lazarillo* (Paris, 1954).

sos "para crear en el lector un estado de ánimo favorable".[16] Y sin embargo, los ha entretejido de tal modo que desaparecen como tales "t o p o i".[17] No se ha sometido a un orden determinado. Ha creado su propio orden: el que reclamaba su e s t i l o. Es así como el prólogo crea ese ambiente de intimidad que el lector percibe como *único y jamás dado* antes, y admite, como v e r d a d e r o s, el espacio y el tiempo de la narración, aun sin haber puesto todavía sus ojos sobre las primeras palabras de *La Vida de Lazarillo de Tormes.*

La t ó p i c a también nos descubre, en el autor, a un *humanista,*[18] buen conocedor de su o f i c i o, pero que gusta mantener afectuoso trato con los elementos configurativos del espíritu medieval.[19]

---

16 Curtius, *o.c.*, p. 123.

17 Aquí podríamos servirnos, sin ningún temor, del juicio que T. S. Eliot aplica a la primera escena de *Hamlet,* en *On poetry and Poets* (New York, 1961): "And of course, when we have both seen a play several times and read it between performances, we begin to analyse the means by which the author has produced his effects. *But in the inmediate impact of this scene we are unconscious of the medium of its expreession.*" p. 79. El subrayado es mío.

18 Cf. lo que dice Karl Vossler en su *Spanischer Brief,* ahora recogida en *Algunos Caracteres de la Cultura Española* (Buenos Aires: 1943), p. 24.

19 Todo lo expuesto nos descubre que no es *tan simple,* como se había creído, el estilo del *Lazarillo.* Véase, en torno a esto, el magnífico estudio de G. Siebenmann, citado arriba; en especial la p. 77 *s.*, y sus puntos de vista sobre el *anacoluto* —en la lengua oral— y el *acoluto* —en la lengua literaria. Véase también, para la *tópica,* el estudio de G. *Fenwick* Jones, en *Studia Neophilologica,* XXXIV, (Uppsala, 1962), pp. 90-103.

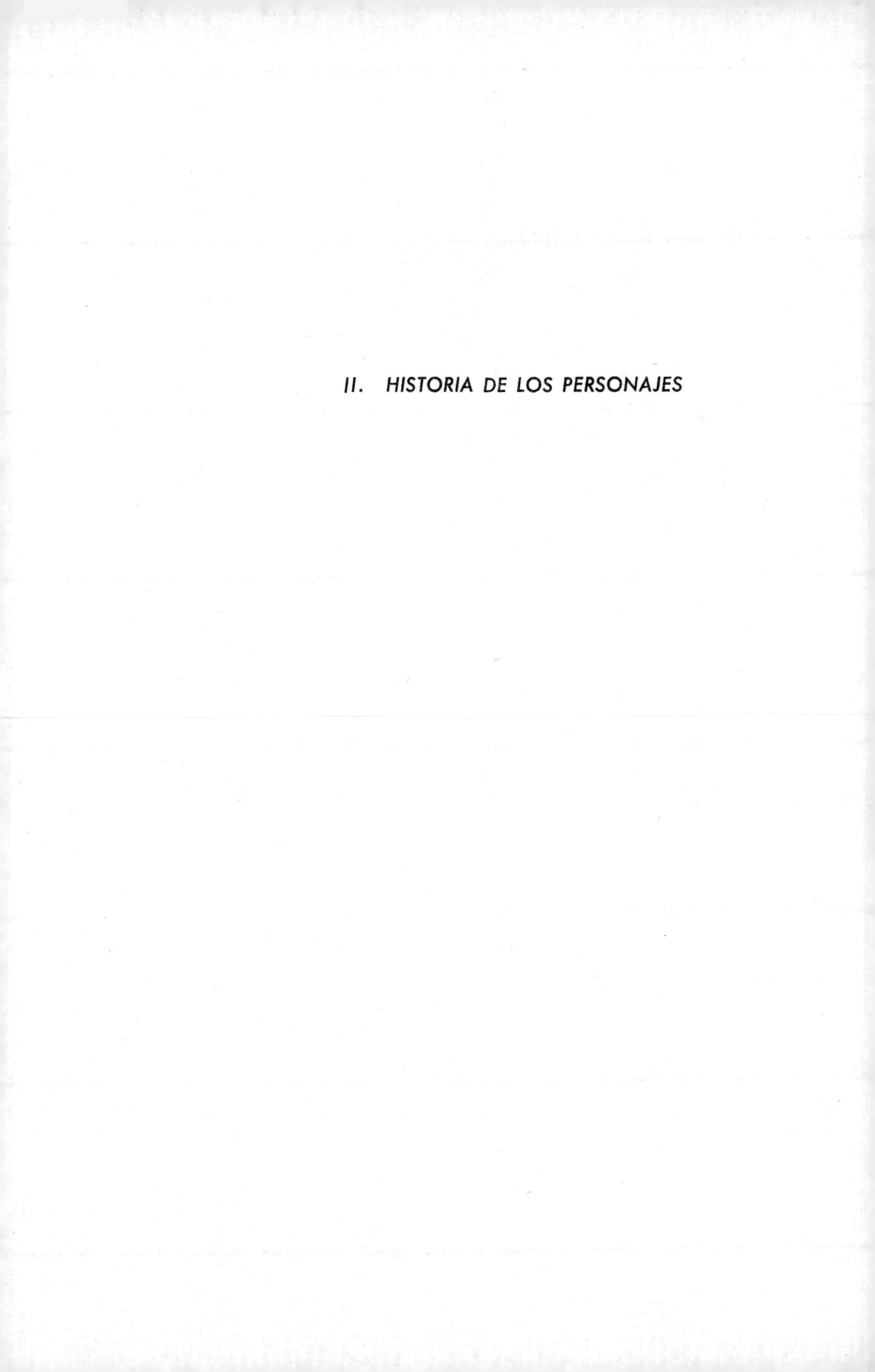

II. HISTORIA DE LOS PERSONAJES

Los personajes que actúan en el Lazarillo —si exceptuamos unos datos al comienzo de la obra para con los padres de Lázaro, y lo que el escudero manifiesta— no tienen 'pasado' ni hablan nunca de él. Los encontramos en el h a b l a r de Lázaro (su presente del pasado) y nos enteramos del carácter, costumbre, oficio, actividad o empleo que tienen por lo que en ese momento se dice u ocurre. Con tan breves elementos, conformamos interiormente su *historia*.[1] Así tenemos, para el ciego,

> Ciento y tantas oraciones sabia de coro. Un tono baxo, reposado y muy sonable [...], vn rostro humilde y

1 Los números de páginas del *Lazarillo* que se citan en este capítulo corresponden a la edición crítica de Alfredo Cavaliere, *La Vida de Lazarillo de Tormes y de sus fortunas y aduersidades* (Napoli, 1955). Los subrayados son míos. Cuando los textos del *Lazarillo* (tanto en este capítulo como en los siguientes) lleven número de página, corresponden a la edición de A. Cavaliere; cuando no lo lleven, pertenecen a la de Julio Cejador.

> devoto [...], sin hacer gestos ni visajes con boca ni ojos [...]; tenía otras mil formas y maneras para sacar el dinero [...]; dezia que Galeno no supo la mitad que el.[2]
>
> (Tr. I, p. 90);

para el clérigo,

> toda la lazeria del mundo estaua encerrada en este; no se si de su cosecha era o lo auia anexado con el abito de clerezia.
>
> (Tr. II, p. 105);

para las mujeres que hablan en la huerta con su amo, y también, con un sencillo difuminado, sobre los hidalgos del lugar,

> con dos reboçadas mugeres, al parescer de las que en aquel lugar no hazen falta. Antes muchas tienen por estilo de yrse a las mañanicas del verano a refrescar y almorzar sin llevar qué [...], con confiança que no ha de faltar quien se lo de, segun las tienen puestas en esta costumbre aquellos hidalgos del lugar [...]. Ellas que deuian ser bien instituydas...
>
> (Tr. III, p. 129);

---

2 Hay otros detalles, tales como: tr. I, "me mostro jerigonça"; "tenia otras mil formas y maneras de sacar dinero"; "dezia ser la gente [*i.e.* l a d e T o l e d o] mas rica, aunque no muy limosnera"; tr. II, "cinco blancas era su ordinario para comer y cenar"; "de la tauerna nunca le traxe una blanca de vino"; "comia como un lobo y beuia mas que vn saludador", etcétera.

para las mujeres,

> A mi dieronme la vida vnas mugercillas hilanderas de algodon, que hazian bonetes y viuian par de nosotros, con las quales yo tuue vezindad y conocimiento. Que de la lazeria que les trayan me dauan alguna cosilla . . .
>
> (Tr. III, p. 134) ;

para el fraile de la Merced,

> vn frayle de la Merced [. . .], gran enemigo del coro y de comer en el conuento, perdido por andar fuera, amicissimo de negocios seglares y visitar [. . .]. Y por esto y por otras cosillas que no digo . . .
>
> (Tr. IV, p. 145) ;

para el buldero, y algo respecto de los "reuerendos",

> vn buldero, el mas desembuelto y desuergonçado [. . .]; tenia y buscaua modos y maneras y muy sotiles inuenciones [. . .]. No hablaua palabra en latin por no dar tropeçon; [. . .] aprouechauase de vn gentil y bien cortado romance y desemboltissima lengua. Y si sabia que los dichos clerigos eran de los reuerendos [*i.e.* q u e n o s a b í a n l a t í n]. . . hablaua dos horas en latin, a lo menos que lo parescia aunque no lo era. [. . .] Hazia molestias al pueblo e otras vezes con mañosos artificios. . .
>
> (p. 147-48) ;

para el maestro de pintar,

> vn maestro de pintar panderos, para molelle los colores, y tambien sufri mil males.
>
> (p. 157);

para el capellán,

> vn capellan della [*i.e.* de la iglesia mayor] me rescibio por suyo. Y pusome en poder vn asno y quatro cantaros y vn açote y comence a echar agua por la cibdad [...]. Daua cada dia a mi amo treynta marauedis ganados y los sabados ganaua para mi...
>
> (p. 157);

para el alguacil,

> assente por hombre de justicia con vn alguazil [...]; por parescerme oficio peligroso [...], vna noche nos corrieron a mi y a mi amo a pedradas y a palos [...] y a mi amo, que espero, trataron mal...
>
> (p. 157);

para el arcipreste,

> el señor arcipreste de Sant Saluador, mi señor y seruidor y amigo de vuestra Merced, porque le pregonaua sus vinos, procuro casarme con vna criada suya [...]; de tal persona [*i.e.* el arcipreste] no podía venir sino bien y fauor...
>
> (p. 159);

y para la mujer de Lázaro,

> me case con ella [. . .] ; algunos de mis amigos me han dicho algo desso [*i.e.* 'respecto del entrar y salir de su mujer en casa del arcipreste'] y aun por mas de tres vezes me han certificado que antes que conmigo cassase auia parido tres vezes [. . . .] Entonces mi muger echo juramentos sobre si [. . .]. Y después tomose a llorar y a echar maldiciones sobre quien conmigo la auia casado . . .
>
> (p. 158-59).

Tan limitados detalles, aunque pertenecen a la respectiva *actualidad* de cada episodio o escena, se introducen, por lo que sugieren, en el *pasado* de los personajes. También apoya, en ese sentido, la nominación de oficio, o profesión, o de quehaceres, como el uso, en ciertos momentos esenciales, del estilo directo. El tiempo imperfecto (*"sauia"*, *"buscaua"*, etc.) fija un estado actual que declara de suyo provenir y avanzar desde un lejano ayer. El contexto elabora —con todo ello y por medio de insignificantes alusiones— un complejo temporal de gran importancia novelística: todo acontece *aquí y ahora,* pero como una sombra; sutilmente configurada, sostiene tras sí un pasado, *una historia* que no se dice, como tampoco se pintan los rostros ni se señala la estatura ni el peso ni el color ni el nombre de los personajes y, sin embargo, creemos saberlos.

El personaje, no hay duda, queda manifiesto y hecho patente como "t i p o"[3] (ciego, clérigo, escudero, etc.) y, a su vez, como s e r h u m a n o (*este* ciego, *este* clérigo, *este* escudero, etc.). La familiaridad con que los vemos y sentimos arranca de ese doble juego que el arte del narrador ha conseguido, colocándose él en el centro; los personajes facilitan los respectivos episodios y el narrador, con su continuada presencia, los convierte en seres vivos,[4] aun en los sucesos más breves y rápidos, sin necesidad de contarnos, abiertamente, *sus historias* ni darnos datos precisos respecto de sus figuras ni tener que llamarlos por sus nombres.

---

3 Cf. Ángel Valbuena y Prat, *Historia de la Literatura*: "Domina la obra la observación de ciertos *tipos* de la sociedad, sin aspirar a generalizaciones ni a *atalayar* toda la vida humana". t. I, p. 489. El primer subrayado es mío; el segundo es del autor.

4 Karl Vossler, *Algunos Caracteres*: "El autor no ve en la sociedad, en las clases sociales y estados, lo abstracto y sociológico, sino lo vital y humano con sus correspondientes determinaciones y limitaciones". p. 26.

III. TIEMPO NOVELÍSTICO ACERCA DEL RECUERDO Y LAS INTERPOLACIONES EN LA EDICIÓN DE ALCALÁ

La Vida de Lazarillo de Tormes[1] ofrece de suyo un tiempo novelístico o autobiográfico muy fácil de distinguir: el autor, desde su presente, se echa hasta el inicio de su vida para narrar, en forma ascendente, la historia de sus *fortunas, peligros* y *adversidades*.

Sin embargo, y aunque parezca a primera vista sin importancia, nos interesa señalar qué características declara ese tiempo novelístico, con el fin de separar el tiempo del narrador de la temporalidad que el contexto procura en el espíritu del lector.

Por lo que toca al lector, notamos que lo entiende como un proceso que, tomando cuerpo en el presente, avanza hacia el futuro, con todo y saber que es un pasado cumplido:

---

1 Véase para la *edición* del *Lazarillo* lo que he dicho en la nota n. 1 del cap. anterior.

> Pues *sepa* V.M. ante todas cosas que a mi llaman Lazaro de Tormes, hijo de Thome Gonçales y de Antona Perez, naturales de Tejares, aldea de Salamanca. Mi nascimiento fue dentro del rio Tormes, por la cual causa *tome* el sobrenombre, y fue *desta* manera. [...] De manera que con verdad me *puedo dezir nascido* en el rio.
>
> (p. 86)

El enlace entre formas de pasado y presente, así como el apoyo que suministran los nombres de persona y de lugar, producen en el lector la impresión de estar viendo el comienzo de una v i d a r e a l.[2]

En cuanto al autor, la acción parte del pretérito y concluye en *su* presente actual, en el cual se encuentra, y ése es *su* punto de vista.

Cuando en el tratado primero dice,

> Mas el *pronostico* del ciego *no salio* mentiroso [*i.e.* "*q u e s i h o m b r e e n e l m u n d o h a s e r b i e n a u e n t u r a d o c o n v i n o, q u e s e r a s tu*"], y después aca muchas vezes me acuerdo de aquel hombre, que sin duda deuia tener spiritu de prophezia.
>
> (p. 101),

2 Cada vez que empleo los términos "realismo", "realidad" o "vida real", me refiero a la impresión de vida que la novela, con medios y fines artísticos, produce y consigue. Por lo tanto, nada tiene que ver con el manoseado concepto —muy del siglo XIX— de "realismo español", aplicado al teatro y a la novela. Cf. el importante y decisivo artículo de Dámaso Alonso, "Escila y Caribdis de la Literatura Española", en la revista *Cruz y Raya* (Madrid, 1933), pp. 77-102.

el autor se traslada del pasado al presente y, una vez en éste, regresa a aquél. El lector, por su parte, prosigue en el presente y divisa el porvenir. Por esta causa, la oración "el pronostico del ciego *no salio* mentiroso" se muda interiormente en esta otra: 'el pronóstico del ciego *no saldrá* mentiroso'. Los demás elementos (lo dicho por el ciego, el presente de autor, los sustantivos *prophezia* y *pronostico* y el pasado de obligación) ayudan a engendrar, en todo el contexto, un vivísimo estado de realidad tanto sobre el hoy como sobre lo venidero.

Veamos cómo se verifica ese tiempo en el tratado séptimo y último:

> Y *es* que *tengo* cargo de pregonar los vinos que en esta ciudad *se venden*. [. . .]. Tanto, que en toda la ciudad el que *ha de echar* vino a vender o algo, si Lazaro de Tormes no *entiende* en ello, hazen *cuenta* de no sacar prouecho.
>
> (pp. 157-158)

El autor está en el centro de su actualidad. El pensamiento del lector, por el contrario, salta hacia el pasado, pues todos los detalles le conducen hasta la *prophezia* del ciego. El narrador, en cambio, ya no los necesita: están fuera de su memoria.

El análisis de los trozos anteriores nos descubre la existencia de dos maneras de *recordar:* la del autor y la que suscita el contexto. Lo que en una ocasión (tratado primero) es recuerdo para el 'yo-narrante', se convierte en dato de futuro para el lector; y lo que en otro momento (tratado séptimo) es presente para aquél, se transforma en recuerdo para éste, y vale[3] de prueba justificadora de lo contado.

Pero también se nos hace patente que la obra, en su avanzar, va elaborando temporalidades de pretérito inmediato,

> "Este, dezia yo, es pobre y nadie da lo que no tiene; mas el auariento ciego y el malauenturado mezquino clerigo que, con darselo Dios a ambos, al vno de mano besada y al otro de lengua suelta, me matauan de hambre, aquellos es justo desamar y aqueste de auer manzilla [*i.e.* 'c o m p a s i ó n'].
>
> (p. 132)

El autor, con el fin de reproducir su hablar interior de entonces, ejecuta un cambio: pasa de la forma narrativa al estilo directo. Tenemos ante nosotros dos tiempos distintos, si bien expresados con la misma forma: *"dezia yo"* y *"me matauan"*. El primero, es el tiempo que le permite ver el pasado desde su actualidad: por ello, pretérito remoto; el segundo, es la temporalidad con la cual veía entonces: esto es, pasado inmediato. En resumen: mientras, por un lado, destaca el cosido general de la narración, por otro, enhebra los ingredientes de la acción anterior con la inmediata. Para nuestro ejemplo, no le ha bastado

3 El mismo procedimiento es usado en el tr. III: enjuicia los hechos allí mismo, pero como no los necesita al final de la obra (*i.e.* en el tr. VII), los deja donde estaban: "Dios me es testigo que hoy dia, quando topo alguno de su habito con aquel paso y pompa . . ."

sólo con eso: refuerza la estructura oracional con tres presentes de validez general y contenido afectivo ("nadie *da* lo que no tiene"; "*es* justo desamar" y "[e s j u s t o] de auer manzilla") y la nutre, además, de tiempo y espacio concretos por medio de dos pronombres: 'e n t o n c e s - a l l í' *(="aquellos")* y 'a h o r a - a q u í' (="*aqueste*").

Aprovechemos todas las particularidades señaladas hasta ahora y enfrentémoslas con el procedimiento temporal que usa, para casos semejantes, el 'i n t e r p o l a d o r' de la edición de *Alcalá.*

El lector recordará que *La Vida de Lazarillo de Tormes* aparece el mismo año (1554), en tres ciudades distintas: Burgos, Amberes y Alcalá de Henares. La edición de *Alcalá* es la única que declara el mes: "*a veynte y seis de febrero*" y le acompaña la siguiente noticia,

> nuevamente impresa, corregida y de nuevo añadida en esta segunda impresión.

¿*Qué* modelo se toma para la impresión, la corrección y los añadidos? ¿Y *q u i é n* lo hace? A la primera pregunta, algunas personas le han encontrado una buena solución, con el aserto de Brunet (1862),

> Cependant nos notes nous fournissent l'indication d'une édition d'Anvers, 1553, in-16, que toutefois nous n'avons pas vue;[4]

---

4 R. Foulché-Delbosc, *art. cit.*, *RH*, p. 86. n. 1 y los otros datos que allí señala.

con lo cual se intenta justificar la posible existencia de una edición *princeps*, en *1553*. Desde ahí, resulta muy fácil explicarse las variantes que aparecen en las otras tres ediciones, ya que adquirirían el carácter de *ediciones posteriores*. La crítica filológica,[5] empero, ha considerado como *princeps* la edición de *Burgos*, a la cual sigue la de *Amberes*.

Sobre la segunda pregunta, nos encontramos con pareceres diversos: algunos estudiosos creyeron que las interpolaciones eran añadidos del propio autor; ctros, pensaron en una mano ajena, y M. Bataillon, por el contrario, las considera "temprana imitación"[6] del *Lazarillo*.

Antes de dar punto de vista alguno, me parece de necesidad estudiar en detalle las interpolaciones de la edición de *Alcalá* que manifiestan estados de tiempo semejantes a los que hemos visto en nuestro análisis y que, además, concurren casualmente en los mismos tratados.

En el tratado primero, nos cuenta Lázaro que, "*yendo debaxo de unos soportales*" en compañía de su amo, tropezó éste con unas sogas y, al tocarlas, dijo

---

5 Véase la excelente exposición de motivos y detalles que ofrece Alfredo Cavaliere, así como sus interesantes conclusiones, *o.c.*, pp. 7-52. Cf. lo que dice Foulché-Delbosc (*art. cit.*, *RH*, p. 81 ss.) contra Morel-Fatio y en especial su posición respecto del orden de las ediciones: "Donc les trois éditions de 1554 n'ont aucun rapport direct entre elles et procèdent toutes trois d'un prototype perdu, antérieur au 26 février 1554, antérieur même, selon toute vraisemblance, à l'année 1554. Elles durent paraître dans l'ordre suivant: *Alcalá, Burgos, Anvers.*" El subrayado es mío. Cf. también A. Cavaliere, *op. cit.*, p. 43.

6 Cito para el libro de Marcel Bataillon de acuerdo con la recensión de F. Màrquez Villanueva, en *RFE*, XLII (1960), pp. 285-290, pues no he podido obtener la obra: Marcel Bataillon, *La Vie de Lazarillo de Tormes* (Paris, 1958).

una *sentencia.* El mozo pregunta por el sentido y el ciego le 'p r e d i c e',

> "Calla, sobrino, segun las mañas que lleuas, lo sauras [*i.e.* 'q u e s i r - v e n p a r a a h o r c a r'] y veras como digo verdad".
>
> (p. 161)

Y en el párrafo siguiente, "*como yua tentando el ciego si era alli el meson*", palpó un cuerno de los que sirven para que los recueros aten "*sus bestias*" y, en consonancia con el objeto, volvió a decir otra *sentencia.* Lázaro, que no ha comprendido, retorna a preguntar y el ciego le vuelve a anunciar,

> "—Calla, sobrino, que algun dia te dara este, que en la mano tengo, alguna mala comida y cena".
> "—No le comere yo, dixe, y no me la dara".
> "—Yo te digo verdad; sino verlo has, si biues".
>
> (p. 161)

Las expresiones de un texto y otro miran al futuro, desde el punto de vista del narrador; en particular el segundo, que se hace insistente en cuanto a lo porvenir. El estilo directo, usado para el hablar del ciego y Lazarillo, no viene acompañado de ninguna acotación (como antes vimos) que indique el juicio del autor, tanto de e n t o n c e s como de a h o r a.

En el tratado séptimo, otras dos interpolaciones son usadas con el fin de dar cumplimiento a lo que antes se dijo:

> 1) vn dia que ahorcauamos [. . .] conosci y cay en la cuenta de la sentencia que aquel mi ciego amo auia dicho en Escalona y me arrepenti del mal pago, que le di, por lo mucho que me enseño.
>
> (p. 164)

* *

> 2) Aunque en este tiempo [*i.e.* a h o r a] siempre he tenido alguna sospechuela [*i.e.* 'd e m i m u j e r'] y auido algunas malas cenas [. . .] y se me ha venido a la memoria lo que mi amo el ciego me dixo en Escalona, estando asido al cuerno.
>
> (p. 165)

Estamos frente a un distinto sistema de t i e m p o. Desde su presente actual, el autor de las interpolaciones *recuerda* el pasado y quiere darle, ahora, una forzada justificación: se vale de *su memoria.* En los escritos que analizamos antes no se hacía caso de ella; eso sí, se la incitaba y provocaba, en el lector, por medio del contexto. Las interpolaciones, como vemos, no ofrecen las *dos* clases de recuerdo (la del 'yo-narrante' y la contextual) que descubrimos, sino sólo una, la del lector.

Por otra parte, el asunto que mueve a *recordar* (el *v i n o*) es un objeto[7] dominante en el primer

---

7 He aquí algunos ejemplos sobre el *vino,* en el tr. I: "que yua a los huespedes por vino"; "usaua poner cabe si un jarrillo de vino"; "yo, como estatua hecho al vino"; "lo que te enfermo te sana y da salud [*i.e.* '*e l v i n o*']; "y mando que fuese por el vino a la taberna"; "y con el vino que

tratado y, por ende, justifica las palabras del ciego y el juicio de Lázaro; en tanto que el objeto usado en los añadidos arranca de una manera muy *singular* de interpretar *asuntos* que ya estaban en el séptimo: *"persecución por justicia"* (VII), lo equipara a *"sogas"* colgadas (I); lo que dicen o no dicen de su mujer (VII), lo iguala a *"cuerno"* (I). Está claro que el interpolador escribe dominado por la impresión que le produjo el tratado séptimo, y en ningún caso descubre la técnica de *c o m p o s i c i ó n   a s c e n d e n t e,* en cuanto al tiempo, que hemos hallado en el *Lazarillo*.

Los añadidos de la edición de *Alcalá* revelan,[8] por consiguiente, una técnica contraria a la que hemos descubierto en las ediciones de *Burgos* y *Amberes*. No puede ser, desde luego, el *mismo autor* quien las hizo. Es una *mano ajena* y nuestro análisis viene a confirmar, desde otro punto de vista, el juicio de M. Bataillon: es una "temprana imitación".

Tengo para mí, por todo lo dicho, que el autor de las interpolaciones fue un admirador de *La Vida de Lazarillo de Tormes* y se entusiasmó con la intensidad y eficacia del m é t o d o   d e l   r e c u e r d o, al punto de creerse en condiciones de poder repetirlo. Olvidó un pequeño detalle: sólo aplicó una de las for-

---

para beuer le auia traido"; "eres mas cargo al vino que a tu padre", etc.; y también lo que sirve para hacerlo: "al tiempo que cogian las vuas"; y el episodio del racimo de uvas.

Creo que sería fecundo iniciar un análisis sobre el 'vino' en el *Lazarillo* y poner en juego las ideas que se obtengan con los datos que da sobre el 'vino' Mircea Eliade, en su libro *Tratado de Historia de las Religiones* (Madrid, 1954). Cf. también G. van der Leeuw, *Fenomenología de la Religión*.

8 Me atrevería a decir que nuestro interpolador es el primer l a z a r i s t a de la historia de la literatura.

mas: el recuerdo en cuanto lector,[9] por influjo del contexto; pero no lo llevó a cabo como el autor del *Lazarillo* lo había hecho: por medio de los *dos* procedimientos.

Reparemos, por último, para defensa de lo establecido, en algo que atañe al carácter de Lázaro. En el tratado quinto, la edición de Alcalá añade un nuevo suceso a las *industrias* del buldero. Al terminar el episodio, el amo toma juramento a Lázaro para que nunca diga lo que vio, y éste lo cuenta así,

> despues que vi el milagro, *no cabia en mi por echallo fuera,* sino que el temor de mi astuto amo *no me lo dexaua comunicar con nadie,* ni nunca de mi salio; porque me tomo juramento que no descubriesse el milagro.
>
> (p. 164)

Extraña semejante comportamiento: "*no cabia en mi por echallo fuera*". No conozco ningún ejemplo en que Lázaro aspire o desee *echar algo fuera;* esto es, comunicar a los otros algo que sabe o ha visto. Al revés, su conducta no consiste en "*echar fuera*"[10] sino en 'guardar para sí'. Sólo al comienzo de su vida nos advierte, con cierta congoja, como si fuese una terrible *falta* de la cual se excusa:

> porque a mi *con amenazas me preguntauan* e *como niño respondia* e *descubria quanto sabia, con miedo . . .*

---

9 Una prueba de su entusiasmo por el procedimiento es que lo repite: la "soga" y el "cuerno".

10 En cambio, sí se podría decir que es característica dominante de Sancho Panza. Cf. *Quijote,* I, xvii.

Y, en una actitud muy cercana, vuelve a darse en el tratado tercero,

> Yo como en otra tal no me hubiesse visto [. . .], yo huue mucho miedo y llorando prometile [*i.e.* a l a l g u a c i l y a l e s c r i b a n o] de dezir lo que preguntauan.

Fuera de los dos ejemplos citados, todo será un hablar interior, como lo demuestra el uso constante[11] de: "*dixe entre mi*", "*dixe yo entre mi*", "*dixe passo, que no me oyo*", etc. Y, con todo detalle, en la contestación al escudero:

> ". . . maldito aquel, que ninguno tiene de pedirme esa cuenta ni yo de dalla".
>
> (Tra. III, p. 131)

y al final del tratado cuarto: "*y otras cosillas que no digo*; y en el terrible restallar del tratado séptimo, cuando se refiere a su mujer:

> En tal manera, que quisiera ser muerto antes que se me ouiera soltado aquella palabra de la boca.
>
> (p. 165)

¿No es acaso ese constante 'c a l l a r', 'e s e h a b l a r p a r a s í', el recurso dominante, si bien soterraño,[12] que gobierna *psicológicamente* la obra

11 Cf. pp. 87, 89, 110, 111, 121, 122, 124, 127, 128, 153, etc. El mismo escudero dice: ". . . y otras cosas que me callo". En el trat. III, por las mismas causas que en el tra. I, se repite el 'declarar' de Lázaro a los otros, como se ha señalado arriba.

12 Véase lo que digo en el capítulo VIII, "En torno a las dos formas distintas de elaboración".

toda y da pie de justificación para su *a v i s o* público, como obra de arte del lenguaje? ¿No es acaso, también, esa *razón* interna del 'c a l l a r' la que mueve y justifica las *tres formas sucesivas de elaboración,* vistas desde otro ángulo?[13]

---

13 Cuanto aquí digo no se opone, en absoluto, a los puntos de vista del Prof. G. Siebenmann (*Über Sprache und Stil im Lazarillo de Tormes,* Bern, 1954), cuando considera el estilo de la obra con características del relato oral. Véase también el cap. VIII, p. 134 ss. Cf. Werner Beinhauer, *Spanische Umgangssprache* (Bonn, 1958), cap. III.

IV. EL RECORDAR COMO RECURSO

Los episodios que conforman los tratados del *Lazarillo* dejan tras sí (a medida que progresa la urdimbre de la obra) algunos hechos o datos que, en parte, son sacados de su pasado argumental y traídos a otra circunstancia, donde se les nombra o recuerda, según lo pide el interés de la narración. Encarnan una especie de 'mirada histórica' personal con fines hartas veces comparativos y encuentran, en ella, un importante sostén:

> y acuerdome que (p. 87) ; a la memoria me vino (p. 100) ; Alli me vino a la memoria (p. 124) ; Porque era el ciego para con este vn Alexandre (p. 105) ; truxo a mi memoria (p. 112) ; que luego sospeche mi mal (p. 119), etc.

Así notamos cómo, al designar un objeto perteneciente a un suceso lejano, no sólo asegura su presencia en el momento actual sino que consigue una doble perspectiva de realidad: a y e r y a h o r a,

> ...(porque asido del collar, si, auia sido muchas e infinitas vezes; mas era mansamente dél trauado para que mostrasse el camino al que no via)...
>
> (Tr. III, p. 142)

A veces, se descubren experiencias nunca antes nombradas y nos introducimos, por su medio, en el ancho mundo v i s u a l del narrador,

> Y en toda la casa no auia ninguna cosa de comer, como suele estar en otras: algun tozino colgado al humero, algun queso puesto en alguna tabla o en el armario, algun canastillo con algunos pedaços de pan que de la mesa sobran...
>
> (Tr. II, p. 105)

Cuando cita un objeto, el recuerdo adquiere más solidez, más firmeza espacio-temporal, si la nominación implica ausencia del mismo,[1]

---

1 ¿No es acaso este procedimiento un antecedente —curioso para su época— de otros semejantes que se dan en la novela moderna y particularmente en la poesía, desde Baudelaire hasta hoy? *Cf.* Hugo Friedrich, *Die Struktur der modernen Lyrik* (Hamburg, 1956), pp. 28 a 96. Y también S. Aguado-Andreut, "En torno a un poema de la *Antolojía Poética*", *PMLA*, LXXVII (New York, 1962), p. 462 *ss.* El 'recordar' también señala, en condición de ausencia, hasta hechos que no hizo, pero que hubiere deseado hacer. Da todos los detalles del proceso y de su logro o resultado, como si así hubiese sido. *Cf.* para esto, el caso en que hubiera querido morder la nariz del ciego (tra. I, p. 101). Tenemos además el 'recordar' por atracción o contacto de un vocablo incitador: "Y porque dixe de mortuorios..." (tra. II).

> Todo lo que yo auia visto eran paredes, sin ver en ella [*i.e.* e n l a c a s a] silleta ni tajo ni banco ni mesa ni aun tal arcaz como el de marras.
>
> (Tr. III, p. 124),

porque tiene que sostenerse al final, cansado de tanto 'n o --v e r', en un dato ya conocido *("a r c a z")*, aunque nos hable de su falta. El v a c í o invade el lugar y por eso concluye: *"parescia casa encantada"*.[2] ¡Cuán distinto este ejemplo (cargado de nostalgia de objetos) del anterior (lleno de ausencia de alimentos)! De ahí que remate de otro modo: *"que, aunque dello no me aprouechara, con la vista dello me consolara"* (tra. II).

Tenemos también la forma extensiva, en cuanto a la experiencia mundanal de Lázaro,

> *jamas* tan auariento ni mezquino hombre *no vi*
>
> (Tr. I, p. 91),

que consigue traslados a un pasado y a un presente no señalados en la obra; o nos proporciona un dato real, pero de tipo generalizador,

> y muchas auia por ello [*i.e.* h a m b r e] pasado
>
> (Tr. I, p. 131);

---

2 Qué vecindad espiritual con el juicio del Maestro Ortega y Gasset en "Algunos temas del Weltverkher", ahora en *Meditación de Europa* (Madrid, 1960): "el echar de menos lo ausente, la nostalgia, ha sido una de las emociones más fértiles en la historia humana [. . .]. Actúa, pues, en el fondo del ser humano un pertinaz deseo de que el lejos se convierta en un cerca y el cerca se vuelva lejano, es decir, que el hombre no acepta la situación de las cosas en el espacio y tiende a negar la estructura de éste". p. 145 *s.*

o se adueña de todas las experiencias pretéritas para que pesen más,

> se me presentaron de nuevo mis fatigas
>
> (Tr. III, p. 124),

en un sombrío avanzar desde el pasado y comparecen amontonadas, como angustioso sofoco, por virtud del sugeridor contexto.

A veces, es un personaje quien recuerda y le procura firme consistencia al estado presente, trayendo datos de otras áreas de vida,

> "en vuestra casa yo me acuerdo que solia andar vna culebra y esta deue ser sin dubda"
>
> (Tr. II, p. 116),

advierte un vecino al clérigo; o el escudero exclama, con muchas ganas de comer y gran ingenuidad,

> "digcte, Lazaro, que tienes en comer la mejor gracia que en mi vida vi a hombre"
>
> (Tra. III, p. 132),

y nos echa sobre *su* pasada vida, fantásticamente fecundada por el contexto; o se efectúa un regreso al ayer, con arte genial, por medio de una palabra clave,

> "no es possible sino que ayas sido *moço de ciego*"
>
> (Tr. II, p. 120),

dice el clérigo al expulsar a Lázaro de su casa, con lo que *profetiza* (aquí sería 'a d i v i n a'; mas valga la inversión) respecto de un *antecedente* de la vida del mozo. El lector lo recoge como válido apoyo de su s a b e r respecto de la vida de Lázaro y, para sus adentros, se ríe, como también debió reír el narrador al escribirlo.[3]

En una sola ocasión ofrece el 'r e c o r d a r' dos caras: una, realizar el empleo que he señalado; otra, servir de base a un posterior desarrollo argumental. Sucede en el tratado segundo. Lázaro teme que el clérigo descubra la llave que tiene para abrir el arcaz y la oculta en la boca. Al hacerlo, recuerda:

> porque ya, desde que viui con el ciego, la tenia tan hecha bolsa, que me acaescio tener en ella doze o quinze marauedis, todo en medias blancas, sin que me estoruassen el comer, porque de otra manera no era señor de vna blanca que el maldito ciego no cayesse con ella.
>
> (p. 117)[4]

3 Son varios los ejemplos del 'recordar' de los personajes, o el 'recordar' por lo que las cosas evocan. En el tra. I: "después que conmigo estas, no me dan sino medias blancas y de antes vna blanca y vn marauedi hartas vezes me pagauan"; "si alguno le dezia porque me trataua tan mal, luego contana el cuento del jarro". En el tra. II: "los sacerdotes han de ser muy templados en su comer y beuer y por esto yo no me desmando como otros"; "mas coraças viejas de otro tiempo, que no arcaz la llamara, segun la clauazon y tachuelas sobre si tenia"; "en vuestra casa yo me acuerdo que solia andar vna culebra y esta debe ser sin dubda"; "porque le dezian [l o s v e c i n o s] que de noche acaescia a estos animales, buscando calor, yrse a la cuna donde estan criaturas y aun mordellas y hazerles peligrar"; etc.

4 En el tra. I, p. 92. No debe olvidarse que, cuando Lázaro recuerda el pasado (es decir, desde un episodio respecto de otro anterior), es siempre con algunos detalles que no señaló entonces, o con un sentido general o, también, comparativo. En el tr. III, el 'recordar' es tan dominante que el escudero saca a luz sus propios recuerdos.

El autor, con los hechos del primer tratado en mente, promueve una nueva *aduersidad*. Tiene como substrato el cruce de dos acontecimientos: el del 'jarro de vino' y el de la 'longaniza'.[5] Ambas escenas, entretejidas, engendran otra de nuevo cuño. El arte del novelista lo consigue por medio de la *contaminatio*[6] de sus propios materiales.

Vayamos por partes y observemos las relaciones:

1) el episodio del 'jarro de vino' (Tr. I, pp. 93 a 95), con el consiguiente golpe sobre la cara del pobre mozo,

2) fecunda el golpe del clérigo sobre la cabeza de Lázaro, si bien aquél creía darlo sobre una culebra (Tr. II, p. 118 *s*).

Movimientos y posturas son vecinos: Lázaro está quieto; el ciego y el clérigo se mueven. En uno y otro tratado el muchacho está dormido: ora de verdad, como en el segundo (*"vna noche que estaua durmiendo"*); ora supuestamente, como en el primero (*"vn poco cerrados los ojos por mejor gustar el sabroso licor"*).

Si enfrentamos los relatos, colocando en cursiva las palabras y expresiones afines, comprenderemos sus

---

5 Tr. I, pp. 95 y 99 respectivamente.

6 *i.e.* no lo hace con materiales ajenos, como lo hacían Plauto y Terencio con los diversos argumentos de las comedias de Menandro. *Cf.* A. Ernout et A. Meillet, *Dictionnaire étymologique de la Langue Latine* (Paris, 1939), *s.v.* "*contamino*", p. 215 y la interpretación que da al vocablo Terencio: "*contaminare fabulas*". *Contaminare*, en Terencio, viene a significar "*rendre méconnaissable en mélangeant*" (*apud* Meillet et Ernout). También el clásico capítulo, sobre *contaminatio* en Terencio, de Friedrich Leo, en su *Geschichte der römischen Literatur* (Berlin, 1931), t. I, pp. 245-249.

íntimas coincidencias, tanto en los movimientos como en los resultados:

para el tratado primero,

> el desesperado ciego que agora tenia tiempo de tomar de mi vengança y *con toda su fuerça, alçando con dos manos aquel dulce y amargo jarro, lo dejo caer sobre mi boca, ayudandose, como digo, con todo su poder* [...]. *Fue tal el golpezillo, que me desatino y saco de sentido, y el jarrazo tan grande que los* pedaços dél se me metieron *por la cara, rompiendomela por muchas partes.*
>
> (p. 95);

para el tratado segundo,

> penso [e l c l é r i g o] *que alli en las pajas do yo estaua echado,* al calor mio se auia venido [l a c u l e b r a]; *leuantando bien el palo, pensando tenerla debaxo y darle tal garrotazo que la matasse* [*i.e.* 't o m a s e v e n g a n z a d e e l l a'], *con toda su fuerça me descargo en la cabeça vn tan gran golpe, que sin ningun sentido y muy mal descalabrado me dexo.*

Observemos, ahora, las otras escenas. En las dos necesitan el ciego y el clérigo aproximarse al muchacho para descubrir el objeto que buscan y, también, en ambos casos, el buscador está arriba y el mozo abajo.
Así veo la relación:

1) el episodio de la 'l o n g a n i z a' y el meter

el ciego su afilada nariz en la boca del muchacho, para descubrir, por el olor, si había habido hurto, con la consiguiente devolución (Tr. I, pp. 98 y 99),

2) causa la escena de la 'l l a v e', en la boca de Lázaro, con lo cual el clérigo, al acercarse a ver qué era lo que producía el silbido, descubre el m a l e f i- c i o (Tr. II, pp. 118-119).

Los dos momentos ofrecen circunstancias muy próximas en sus respectivos desenlaces,

> a) contaua el mal ciego a todos quantos alli se allegauan mis desastres, y dauales cuenta vna y otra vez. [...] Y reyan mucho los que me lauauan con esto [*i.e.* c o n v i n o], aunque yo renegaua.
>
> (Tr. I, pp. 100-101);
>
> b) mi amo [*i.e.* e l c l e r i g o], el qual a quantos alli venian lo contaua, por extenso [...]; vna vieja que ensalmaua e los vezinos, y comiençanme a quitar trapos [...] y curar [...]. Tornaron de nueuo a contar mis cuitas y a reyrlas, y yo pecador a llorarlas.
>
> (Tr. II, pp. 119-120).

Todo lo explicado me incita a preguntarme si la historia del *a r c a z* no es un amplio desarrollo (desde el comienzo hasta el fin) de la breve historia del *fardel* del ciego.[7]

---

7 Lo cual se acomoda con cuanto dije de la *tópica* (cap. I, p. 26 *ss.*), así como las indicaciones que hago, para la relación entre el *prólogo* y el título de la *obra*, en el cap. VIII, p. 114 *ss*.

La materia del deseo es la misma: el p a n; con lo que se cierra tanto el arcaz como el fardel es una l l a v e; el modo de contar los panes se aproxima mucho:

> a) traya el pan y todas las otras cosas en vn fardel [...] que por la boca se cerraua con vna argolla de hierro y su candado y su llaue, y al meter de todas las cosas y sacallas era con tan gran vigilancia y tanto por contadero ...

para terminar,

> yo [...] sangraua el auariento fardel sacando, no por tassa, pan ...

En el tratado segundo,

> tenia [e l c l e r i g o] vn arcaz viejo y cerrado con su llaue [...] y en viniendo el bodigo de la yglesia, por su mano era luego alli lançado, y tornada a cerrar el arca.

El *"y o ... s a n g r a u a ..."* no necesita ser expresado inmediatamente. Es el *hacer* de Lázaro en el segundo tratado; sólo más tarde se servirá de él, con el fin de crear un vivo *crescendo* de movilidad,

> finalmente, paresciamos tener a destajo la tela de Penélope, pues quanto el texia de dia, rompia yo de noche.

El *"auariento fardel"* del ciego se cambia en el *"p a r a i s o p a n a l"* del clérigo. En orden ascendente, sigue usando otras nominaciones que facilitan el *clímax* y su peculiar desarrollo.

Se h u m a n a n los objetos por medio de adjetivos que les vacían su condición de cosa:[8]

> *vieja* arca; *triste* y *vieja* arca; *triste* arcaz; arcaz *sin fuerça y coraçon;* la *pobre* despensa; coraças *viejas de otro tiempo que no arcaz;* la *pecadora* del arca . . .

Hay otro importante ejemplo, tomado de la pareja 'm u c h a c h o - c i e g o', que obtiene completo desarrollo en el segundo capítulo. Sólo incidentalmente y con cierta timidez, había sido enunciado entonces. Se trata del recurso de *objetivación.* Cuando el ciego va a tomar venganza del muchacho por lo del 'jarro de vino', dice Lázaro,

> *de manera que el pobre Lázaro, que de nada desto se guardaua, antes, como otras vezes, estaua descuydado y gozoso . . .*

Lázaro, como el texto manifiesta, se echa fuera de sí. Se o b j e t i v a por un instante, ya que el idioma le facilita los medios para hacerlo. Se ve como si fuera *otro.* La descripción adquiere un fecundo realismo que se propaga —segura de sí— en todas direcciones. De pronto —no puede permanecer mucho tiempo echado fuera—, regresa a la forma subjetiva,

> . . . verdaderamente me parescio que el cielo, con todo lo que en el ay, me auia caydo encima.

---

8 Fórmula iniciada tímidamente en el tr. I.

La forma personal (reclinada en un enérgico adverbio y más intensa ahora) describe el tremendo choque que viene de *arriba* (=j a r r o = c i e l o) *abajo* (=yo =L á z a r o) y compromete, por medio de las palabras escogidas, al *todo* —cielo y tierra— en el *d e s c a l a b r a r* de un pobre y sencillo ser humano: Lázaro.

En el tratado segundo, aprovecha el recurso de objetivación para componer unos personajes sólo verbales, pero de gran interés argumental: los *'r a t o n e s'* y la *'c u l e b r a'*.

He aquí tres ejemplos:

> 1) porque estaua al propio contrahecho [*i.e.* e l d a ñ o] de como ellos [*i.e.* l os r a t o n e s] lo suelen hazer.
>
> (p. 112),

nos cuenta burlonamente el narrador, al iniciar la posibilidad —ya casi hecha— de verse objetivado como si fuese "r a t o n e s";

> 2) la culebra, o culebro[9] por mejor dezir, no ossaua roer de noche, ni leuantarse al arca, mas de dia . . .
>
> (p. 117),

9 He aquí algunos ejemplos de objetivación: en el tra. II: "y a abaxar otro punto, Lázaro no se oyera en el mundo"; "como hallase el pan ratonado y el queso comido y no cayese el raton que lo comia"; "plega a Dios que no me muerda [*i.e.* 'l a c u l e b r a', dice el propio Lázaro]. . . que harto miedo le tengo". Pero obsérvese cómo vuelve del revés la objetivación el clérigo: "el raton y culebra, que me *daua* guerra y me comia mi hazienda, he hallado". En el VII la retoma: "Si Lázaro de Tormes no entiende en ello, hazen quenta de no sacar prouecho". Con cuánta seriedad de

objetiva decididamente, como si en verdad existiese la tal "c u l e b r a", cuando en realidad es él. Tan irónica es la objetivación, que se hace oscilante (a manera de socarrona disyuntiva, ensanchadora y móvil) entre el masculino y el femenino. Es, en fin de cuentas, como se ve en esa acción;

> 3) y al tiento e sonido de la culebra,
> se llego a mi con mucha quietud,
> por no ser sentido de la culebra.
>
> (p. 118)

exhibe el contexto tres planos de viva y enrevesada intersección. Sólo el análisis puede deslindarlos:[10] el de la "c u l e b r a", inexistente en la realidad, pero vivo en la mente del clérigo quien la proyecta sobre las pajas donde está el muchacho; el del clérigo, sobresaltado y contenido; el de Lázaro, tendido en las

---

oficio la extiende ante el lector, ahora que está *en la cumbre de toda buena fortuna.*

Estas fórmulas (*"la culebra o culebro"*) son frecuentes en la lengua de la conversación. Con ellas se trata de negar, enfáticamente, algo o (desde otro punto de vista) presentar una doble perspectiva oscilante. La disyuntiva de nuestro ejemplo no es de mucho uso. La fórmula de la conversación es: "qué diantre ni diantra", etc. El hablante elabora, así, nuevas palabras de validez momentánea y sólo existentes en la expresión circunstancial que las troquela. Tengo para mí que su origen puede proceder de adjetivos de dos terminaciones y de sustantivos que viven, con la misma raíz, en los dos géneros (ej. "Qué primo ni prima"), como se nota en la frase: "Qué hombre ni mujer", en que aparecen enfrentados sustantivos distintos. Hay otro ejemplo, unas líneas antes de empezar nuestra escena, como anticipo burlón y mágico (?) a la vez ("quisieron mis *hados* o por mejor dezir mis *pecados*") en que la consonancia juega ('—ados/—ados') el papel que hemos señalado antes.

10 Observemos: 1) "al tiento y sonido de la culebra" (la culebra = el silbido de la llave que Lázaro tiene en la boca); 2) "se llegó a mi" ("se" = el clérigo; "mi" = Lázaro y "mi" = la culebra); 3) "por no ser sentido de la culebra" (culebra = Lázaro).

pajas.[11] Una vez forjada esta situación (¡tan tensa!), con sus tres personajes y sus tres estados, urge devolverla a la realidad. El autor lo logra en un instante,

> con toda su fuerça me descargo en
> la cabeça un tan gran golpe...,

la forma *"m e d e s c a r g ó"* resume, personaliza y devuelve, a sus respectivos mundos, los planos tanto tiempo entreverados. La objetivación regresa, destruida, a la forma subjetiva de la narración continuada. Lázaro y la "c u l e b r a" reciben, a una, el golpe, como lo recibe el fantasma verbal-tramático (*ratones,* antes; *culebra,* ahora) y, por tanto, la *r a z ó n* que daba consistencia al tratado segundo.

En todo el tratado, se mueve a sus anchas el recurso. No sería nada de extrañar que alguien se atreviera a llamarlo 'c a p í t u l o d e l a s t r a n s f o r m a c i o n e s'.[12] Los objetos y las personas cambian de estado y circunstancia por virtud de los vestidos verbales que las transfiguran, para regresar pronto a su forma natural, o quedar oscilando entre la forma natural y la fingida o inventada. Objetos y animales que no están presentes adquieren realidad

---

11 El lector que está en el secreto aguarda el desenlace, con la risa también en espera.

12 He aquí algunos ejemplos: *"con el biui o por mejor mori"*; panes = *"cara de Dios"*; arcaz = *"paraiso panal"*; hambre = *"terciana derecha"*; *"pan ratonado"*; necesidad = *"maestra"*; hambre = *"luz"*; mis cuidados = *"los del Rey de Francia"*; *"la tela de Penélope"*; *"ratonar"*; clérigo = *"bruxo de mi amo"*; clérigo = *"espantador de culebras"*; clérigo = *"solicito carpintero"*; acabar = *"no-empezar"*; calderero = *"angel"*; *"del trueno . . . en el relampago"*, etc

existencial, con apoyo en el misterioso nombrar que los forja y los hace móviles. Las comparaciones adquieren una intensa fortaleza y se reproducen por todo el capítulo, aunque sólo quede, de lo que quieren decir, su simple formulación. La noche pasa a día y el día a noche. La realidad del hambre[13] ha ido forjando un mundo fantástico y terrible de ausencias, alteraciones, presencias fingidas de lo inexistente, cambios y configuraciones insólitas.

---

13 Cf. los curiosos ejemplos, así como las interpretaciones, que brinda en este sentido Leo Spitzer, en su *Italianische Umgangssprache* (Bonn, 1922). Cf. también el simbolismo que George Ferguson encuentra, en la Edad Media, para 'ratón': *Signs and Symbols in Christian Art* (New York, 1954); y sobre 'silbido' cuanto dice C. G. Jung en *Transformaciones y símbolos de la líbido* (Buenos Aires, 1952).

V. TIEMPOS DE NARRACIÓN Y TIEMPOS INTERPOLADOS

Los tiempos verbales que hallamos en *La Vida de Lazarillo de Tormes* establecen un juego de pretéritos (*"estuuo", "dixo"*), imperfectos (*"estaua", "andaua"*) y pluscuamperfectos (*"auia caido"*), como es natural que ocurra en una narración que tiene como comienzo el pasado.

El punto de vista psíquico-temporal que gobierna el relato —como un *Deus ex machina*— es, empero, de presente. Los hechos, las cosas, los hombres y las situaciones son observados, explicados e interpretados desde el *hic et nunc* del narrador. Las pruebas que demuestran ese predominio son muchas. Una de ellas es la interpolación del presente de autor en ciertos momentos temporarios de pasado. Representa una inquieta intromisión con el fin de enjuiciar, destacar o negar, algunos aspectos del tiempo *sido* que tiene principio en el pasado. Esas intromisiones (*"y como digo,* / el estaua entre ellas...") llenan de veracidad y realismo la historia que se nos cuenta. Por una parte, tenemos el 'a y e r': "*estaua* entre ellas"; por otra, aparece la agitada interrupción del 'h o y', que ve ante sí un pretérito concluido pero que aun se acerca, cautelosamente, hasta las fronteras del presente: "*y como digo*".

Los siguientes ejemplos, reveladores de una curiosa estructura, ponen de manifiesto el arte del novelista y nos ayudan a interpretarlo.

> 1) lo dexo caer sobre mi boca, ayudandose, *como digo,* con todo su poder.
>
> (Tr. I, p. 95)
>
> 2) andaua de noche, *como digo,* hecho trasgo.
>
> (Tr. II, p. 117)

La construcción modal podía haber sido colocada al final (o al principio) y en imperfecto, como es de uso; o haberse omitido; es decir,

> a) 'andaua de noche hecho trasgo, *c o m o d i g o*',
> b) '*c o m o d e z i a,* andaua de noche hecho trasgo',
> c) 'andaua de noche hecho trasgo, *c o m o d e z i a*',
> d) 'andaua de noche hecho trasgo', etc.

Pero no lo hace. Prefiere romper la oración y poner en medio una frase de modo, con punto de vista actual. Así intercalada, transmite un intenso desasosiego temporal, desde el h o y, a las partes fragmentadas y consigue —era su intención— que la estructura toda oscile en un psíquico vaivén desde el presente al pasado, y desde éste a aquél.

Lo que he señalado no es un hecho fortuito.[1] Se deja ver por toda la obra y se presenta —además de la forma indicada— como paréntesis,

> Maldixeme mil veces *(Dios me lo perdone)* y a mi ruyn fortuna alli lo mas de la noche.
>
> (Tr. III) ;

como exclamación,

> Y cuando alguno de estos escapaua *¡Dios me lo perdone!* que mil vezes le daua al diablo
>
> (Tr. II) ;

como oración independiente; como locución adverbial,

> y me quebro los dientes sin los quales *hasta hoy dia* me quedé
>
> (Tr. I)

---

1 En el tr. I: "como fuesse el traydor tan astuto pienso que me sintio y desde en adelante mudo proposito"; "fue tal el corage . . . que pienso no me dexara con la vida"; "ayudandose, como digo, con todo su poder . . ."; etc.; Tr. II: "veynte personas fellescieron y estas bien creo que las mate yo"; "pues ansi como digo metia cada noche la llave en la boca"; etc. Tr. III: "como yo este oficio lo ouiesse mamado en la leche, quiero dezir que con el gran maestro el ciego lo aprendi"; "quiso Dios cumplir mi deseo y aun pienso que el suyo"; etc.; Tr. IV: "ni yo pude durar mas". "Y por esto y por otras cosillas que no digo sali dél". Tr. V: "quando el hizo el ensayo, confiesso mi pecado que tambien fui dello espantado"; etc.

Hay casos en que realiza añadidos para evitar que la frase sea lanzada al extremo del período, lo que sería muy natural, pero destruiría el recurso:

> Y prouosele *cuanto digo* y aun mas
>
> (Tr. I)

Un ejemplo extremo, y que muestra la persistencia del procedimiento, lo tenemos en las primeras líneas del tratado cuarto,

> Huue de buscar el quarto y este fue un frayle de la Merced, *que las mujercillas que digo* me encaminaron.

Por el contrario, cuando la construcción modal (y las otras que he señalado) tiene un sesgo de idea general, o presenta un carácter de experiencia común, la usa como remate de período,[2]

> Porque estaua muy al propio contrahecho, de *como ellos* [*i.e.* l o s r a t o n e s] *lo suelen hazer.*
>
> (Tr. II)

El análisis nos demuestra que el autor tenía *u n* solo tipo de expresión (la modal y las otras señaladas) para manifestar *d o s* estados psíquicos distintos, en cuanto al tiempo. Resolvió la dificultad colocando

2 En el tr. I: "ni visajes con boca ni ojos, como otros suelen hazer"; "«¿mandan rezar tal y tal oracion?», como suelen dezir", etc. Tr. II: "Y en toda la casa no auia ninguna cosa de comer, como suele estar en otras"; etc. Tr. III: "mas segun me parece es regla entre ellos, usada y guardada"; etc. Tr. V: "como suelen hazer en los sermones de passion"; etc.

la oración en medio para uno de los casos; o al final del período, para el otro. De ahí sus dos funciones estilísticas: la *interruptiva* (en medio de tiempos de pretérito) y la *conclusiva* (al final del período). Con la primera, se centra en el pasado y lo gobierna a su gusto, con los ojos y oídos de su presente; con la segunda, se apoya en una verdad general y conocida por todos. Ambos recursos producen, siempre que el narrador lo necesita, un ambiente de veracidad, realismo y vida.

Otro medio, con el cual se introduce el punto de vista de presente del autor, estriba en el uso de la forma *"Vuestra Merced"*, a quien aparentemente va dirigido el escrito,[3]

> Pues tornando al bueno de mi ciego y contando sus cosas, *V.M. sepa que,* desde que Dios crio el mundo, ninguno formo mas astuto ni sagaz. En su officio era un aguila...

Después de esta breve advertencia, que le ha servido para describir al ciego y caracterizarlo aisladamente, vuelve al *V.M.* para tomar alientos y, desde ahí, forjar la pareja 'c r i a d o - a m o':

> *Mas tambien quiero que sepa Vuestra Merced que,* con todo lo que adquyria y tenia, jamas tan auariento ni mezquino hombre no vi, tanto que me mataua a mi de hambre y assi no me

3 Tr. I: "Pues sepa V.M. ante todas cosas"; "huelgo de contar a V.M."; "V.M. sepa que, desde que Dios . . ."; "mas tambien quiero que sepa Vuestra Merced"; "y porque vea V.M.". En el tr. II no se da la forma explícita. En el tr. III: "Vuestra merced crea, cuando esto le oy", etc.

> demediaua de lo necesario. *Digo verdad,* si con mi sotileza y buenas mañas no me supiera remediar...
>
> (Tr. I)

Esta segunda persona, amén de valer como recurso para introducirse en el pasado, vale también para producir reposo en algunas escenas y realizar cambios o traslados de una situación dada a otra. Por su medio, el autor hace fugaces saltos temporales ante los ojos del lector, a manera de ajustes que fueren asegurando la estructura argumental, y vale, cuando se le necesita, de punto de apoyo para enhebrar los sucesos. A veces, va implícita,[4]

> Y porque todos los que les veya hacer *seria largo de contar, dire* [*i.e. a Vuestra Merced*] *vno muy sotil y donoso, con el cual prouare bien su sufficiencia.*
>
> (Tr. V)

Sólo la percibe el oído interior del lector. Le ha bastado al narrador un pequeño y significativo dato: el potencial y el futuro. Otras, las más, es como una sombra que acompaña al relato. El lector la tiene siempre presente.

---

4 En el tr. I: "mas por no ser prolixo, dexo de contar muchas cosas [a V.M.], assi graciosas como de notar"; etc. Tr. II: "No digo más [a V. M.] sino que toda la lazeria del mundo estaua encerrada en este"; "de lo que sucedio en aquellos tres dias siguientes ninguna fe dare [a V . M .], porque los tuve en el vientre de la vallena". Tr. III: "assi, como he contado [a V.M.], me dexo mi pobre tercero amo". Tr. IV: "y por esto y por otras cosillas que no digo [a V.M.] sali dél. Tr V: "y porque . . . seria largo de contar, dire [a V . M .] vno muy sotil y donoso"; etc. Véase la interesante interpretación —desde otro punto de vista— que hace R. W. Wardropper, *art. cit.*, *NRFH*, xv, p. 446 y n. 9.

Es mi parecer que la fórmula *"Vuestra Merced"* es comprendida por el lector como una llamada que se le hace, y que en el fondo eso intentaba el autor. De donde se desprende la duplicidad de sentidos que conlleva esa segunda persona.

Cuando hay sucesos o escenas de interés, se interrumpe la narración en pretérito por la intromisión de estudiados presentes históricos, que son puestos cuidadosamente en aquellos instantes del pasado que el autor considera decisivos,

> Torneme a entrar en casa, y en vn credo la anduue toda, alto y baxo, sin hacer represa ni hallar en que. *Hago la negra dura cama y tomo el jarro y doy conmigo en el rio,* donde en vna huerta vi a mi amo en gran requesta con dos reboçadas mugeres, al parescer de las que en aquel lugar no hazen falta [*i.e.* 'no dejan de estar'], antes muchas tienen por estilo de irse a las mañanicas del verano a refrescar y almorzar sin lleuar que por aquellas frescas riberas, con confiança, que no ha de faltar quien se lo de; segun las tienen puestas en esta costumbre aquellos hidalgos del lugar. Y como digo, el estaua entre ellas . . .
>
> (Tr. III, p. 129)

Es todo un cuadro lleno de suave y fresco airecillo, después de tanta miseria. Por primera vez, el narrador se atreve a poner los ojos en el paisaje. Y la nota melancólica que se destaca —la escena del amo con las mujeres— da un temple poético a la descripción.

Penetremos por entre los hilillos que han formado el tapiz. Empieza el trozo con los tiempos de narración *("Torneme", "andaua")*. De pronto, las cosas y las personas son vistas de cerca y casi se tocan con las manos. Lo consiguen los presentes, sostenidos en unas copulativas progresivas *("Hago . . . y tomo . . . y doy")*, que lo van empujando hasta el río, con creciente movilidad. Allí se detiene, como gramaticalmente es detenida la descripción (en su fuga psíquico-temporal) por una brusca y sólida conjunción espacial que lo devuelve al pasado *("donde en vna huerta vi a mi amo . . .")*. Hace esfuerzo por sostenerse en el presente que ahora es de tipo generalizador *("hazen", "tienen por estilo")*, como también hace esfuerzos por sostener la mirada y observar a su amo y a las *reboçadas mugeres*. Cansado de la tensión psíquica que mantiene del pasado, como si fuere presente, se apoya en el recurso i n t e r r u p t i v o *("y como digo")*, a fin de encontrar reposo en la narración continuada, vista ahora a distancia, a lo lejos.

El presente histórico y sus otros colaboradores no cumplen (como hemos visto) un papel retórico. El artificio no se muestra como ornamento; es cuerpo vital de lo que se nos comunica. Está empapado de sentido y de vida.

Es de advertir que casi siempre que usa del presente histórico hay, inmediatamente, muy cerca, una expresión en estilo directo. Pareciera que el uno atrae a la otra.[5]

Y por último, en cuanto a la interpolación de tiempos, la constante presencia del presente de los verbos "*pensar*" y "*creer*" (a veces "*confesar*"). El espíritu del lector los recibe con toda la carga significativa que el contexto les inculca. A saber, en casos como

> ... tanto *que pienso* que rompia el mas çapatos ...
>
> (Tr. IV, p. 145),

la mente lingüística del lector lo traduce por

> 'tanto que hasta este momento [*aquí y ahora*] no se me habia ocurrido pensar que rompia...',

que es el sentido, interno y propagador, que el autor le había asignado. Como acontece también con el presente del verbo "*acordarse*", tan de uso en los inicios de período,

> y acuerdome que estando el negro de mi padrastro ...
>
> (Tr. I),

---

5 Tr. I: "Yo lo puse bien derecho enfrente del pilar y *doy* un salto *e pongome* detras del poste como quien espera tope de toro e dixele: «¡Sus! salta todo lo que podays, porque deys deste cabo del agua». Aun apenas lo auia acabado de dezir, cuando se *abalança* el pobre ciego como cabron y de toda su fuerça *arremete* ... y da con la cabeça en el poste que sono tan recio ..." Y, así, en diversas escenas del *arcaz*, del tr. II; y en la del entierro, del tr. III; y en la escena del desahucio, del mismo tratado, y en varios momentos del tr. V.

que se transforma, psíquicamente, en

> 'y ahora que me acuerdo, no se me vaya a olvidar [o, 'por poco se me olvida'; o, 'se me iba a olvidar'], estando el negro de mi padrastro...'

VI. TIEMPO HISTÓRICO

En varios momentos del *Lazarillo* aparece, mezclado con escenas de la narración, el dato histórico o el nombre de un personaje que motiva, al nombrársele, cierta evocación histórica, aunque ésta sólo sea conocida por medio de leyendas o romances. Esto es, aparecen hechos que pertenecen a la h i s t o r i a de la nación. He aquí los más salientes:

1) el desastre de "Los Gelves" (1510), mencionado por la madre de Lázaro,

> como era hijo de vn buen hombre, el qual [*i.e.* e l p a d r e] por ensalçar la fe auia muerto en la de los Gelves . . .
>
> (Tr. I, p. 88) ;

circunstancia que se había citado, por boca de Lázaro, en la página anterior, si bien en ella no se dice el lugar,

> En este tiempo se hizo cierta armada contra moros, entre los quales fue mi padre [...]. Y con su señor, como leal criado, fenescio su vida;

2) el duque de Escalona,

> Estauamos en Escalona, villa del duque della, en un meson...
>
> (Tr. I, p. 98);

3) el rey de Francia (de seguro se refiere a alguna de las campañas que van de 1522 a 1544),[1]

> porque cierto en aquel tiempo no me deuian de quitar el sueño los cuydados de el rey de Francia
>
> (Tr. II, p. 114);

4) la ley contra la mendicidad, en Toledo,

> acordaron el ayuntamiento que todos los pobres extrangeros se fuessen de la ciudad, con pregon que el que de alli adelante topassen fuesse punido con açotes. Y assi executando la ley...
>
> (Tr. III, p. 134);

---

1 No creo que "los cuydados del rey de Francia" del texto del *Lazarillo* tenga mucho que ver con la frase de Gonzalo Correas, "Saltar por el rey de Francia" (Cf. *Vocabulario de refranes y frases proverbiales*, Madrid, 1906, 243), como quiere Julio Cejador, *op. cit.*, p, 133, n. 19. Me parece mucho más cercana la *noticia histórica* en la mente del narrador, que por esos años le era contemporánea. Cf. M. Ballesteros y J. L. Alborg, *Manual de Historia Universal* (Madrid, 1961), p. 611 *ss*.

5) el conde Arcos o Alarcos,[2]

> quien no le conosciera pensara ser muy cercano pariente del conde Alarcos, o a lo menos camarero que le daua de vestir
>
> (Tr. III, p. 128);

6) el Emperador Carlos V (1525 o 1538),

> Esto fue el mesmo año que nuestro victorioso emperador de esta insigne ciudad de Toledo entro y tuuo en ella cortes y se hizieron grandes regozijos, como vuestra merced aura oydo. *Pues* en este tiempo estaua en mi prosperidad y en la cumbre de toda buena fortuna.
>
> (Tr. VII, p. 159 *s.*)

Varias de estas noticias han sido utilizadas por algunos críticos e historiadores con fines extra-literarios, ya que pueden valer para señalar la fecha de composición de la obra; descubrir el nombre del autor; determinar si hubo una edición anterior (*i.e.* la supuesta para 1553) a las tres que aparecieron en 1554, o justificar —con apoyo en otros datos— la filiación religio-

2 Morel-Fatio, *op. cit.*, propuso la lección "*conde Alarcos*" que sólo aparece en la edic. de Alcalá, en vez de "*conde Arcos*" que es la de las otras dos ediciones. "Rien de plus commun, au reste, que ces réminiscences-là chez les écrivains espagnols (y en nota de pie de página señala algunas reminiscencias de romances en el *Lazarillo*), et rien qui s'explique mieux que ces substitutions succesives d'A l a r c o s à C l a r o s et d'A r c o s à A l a r c o s. Dans le premier cas, les deux romances, qui ne sont pas sans analogies, ont été confondues; dans le second, c'est un imprimeur maladroit qui a laissé tomber les premières lettres d'A l a r c o s". Cf. J. Cejador en n. 19 de la p. 161 *s.*, y también A. Cavaliere, *op. cit.*

sa del autor,[3] que tanto interés ofrece para la historia espiritual del siglo XVI español: erasmista,[4] converso,[5] valdesiano,[6] etc.

Yo creo ver, por el contrario, en el uso de todos esos detalles históricos,[7] un recurso forjado por el autor con el fin de dar consistencia *real* a su libro. Este tipo de novela, con su 'yo' siempre el alto, necesitaba —como *novedad*[8] que era— soportes reales, y por esta misma razón se apoya también en nombres

---

3 A. Morel-Fatio, *Études sur l'Espagne*, p. 115 *ss.* y su introducción a *La Vie de Lazarillo de Tormes.* R. Foulché-Delbosc, "Remarques sur *Lazarillo de Tormes*", *RH*, VII (1900), p. 21 *ss.* M. Bataillon, *Le Roman Picaresque* (Paris, 1931); *Id., El Sentido del Lazarillo de Tormes* (París, 1954); *Id., La Vie de Lazarillo de Tormes* (véase lo que digo en p. 46, n. 6). Julio Cejador y Frauca, en su introducción a *La Vida de Lazarillo de Tormes.* L. Jaime Cisneros, en su introducción a *La Vida de Lazarillo de Tormes.* A. González Palencia y Eugenio Mele, *Vida y Obras de don Diego Hurtado de Mendoza* (Madrid, 1941-43). Francisco Márquez Villanueva, "Sebastián de Horozco y el *Lazarillo de Tormes*", *RFE*, XLI (1957), pp. 253-339.

4 Marcel Bataillon, *Erasmo y España*, t. I, p. 183 *ss.* y t. II, p. 211 *ss.*

5 Américo Castro, *La realidad Histórica de España* (México, 1954), p. 572 *ss.* y su interesante estudio "La novedad y las nuevas", *HR*, XX (1952), p. 149 *ss.*

6 Véase el sugestivo estudio de Manuel J. Asensio, "La intención religiosa del *Lazarillo de Tormes* y Juan de Valdés", *HR*, XXVII (1959), pp. 78-102.

7 Me despreocupo intencionadamente si el hecho corresponde o no a 1510, como es el caso para la expedición de los Gelves; o si las Cortes de Toledo fueron en 1525 o 1538, etc.

8 Véase Karl Vossler, "Carta Española a Hugo von Hofmannsthal". en *Algunos caracteres de la cultura española*: "por ello, es tanto más atrevido y genial el intento del anónimo autor de imponerse a la fuerza y a las costumbres de esta opinión pública general. Lo más extraordinario, sin embargo, es que logra su propósito con medios puramente artísticos", p. 25. S. Gili Gaya, "La novela picaresca en el siglo XVI", en *Historia General de las Literaturas Hispánicas*: "era una novedad tanto por el asunto como por la técnica narrativa", t. III, p. 81 *ss.*

geográficos efectivos y comprobables. La nota *espacial-real,* por su nombrar *(Salamanca, Illescas, Toledo, La Sagra, Quatro calles,* etc.), colabora con el dato *temporal-histórico* para fraguar una *vida* real en un mundo real y verdadero.

Así tenemos cómo la alusión al desastre de *"Los Gelves"* suena en boca de la madre de Lázaro, en el instante de entregar su hijo al ciego, a un vivo *compromiso* entre n a c i ó n *("y con su señor",* dijo antes Lázaro; *"como leal criado fenescio su vida"),* p e q u e ñ o p u e b l o *("como era hijo de vn buen hombre")* y r e l i g i ó n *("por ensalçar la fe").* En el trasfondo de todo lo expresado resuena un poquito de lo que configura el *'s e r'* de la nación entera.

La indicación *"duque della",*[9] apuesta al topónimo, liga nombre de nobleza con nombre geográfico y ajusta, con dos elementos reales (espacio y tradición de nobleza), la persona de Lázaro y la del ciego, con un dejo de respeto que se manifiesta por el modo como se hace la montura de la construcción: *"Escalona, villa del duque della".*

Al nombrar al *"rey de Francia"* —con cierto desdén—, da un irónico toque al relato y debió evocar muchos detalles de las campañas bélicas contra Francia en la mente del lector, por las notas de triunfo que implica: ese toque empaparía todo el ambiente de un olor a *victoria,* contrario, y por lo tanto antitético, con la penosa situación porque atraviesa Lázaro en ese

9 Cuántos recuerdos históricos no evocaría en el lector, al recordar al edificador de su castillo, don Álvaro de Luna.

momento, y muestra además una clara despreocupación por lo que *no es* nacional.

La *"ley contra la mendicidad"*[10] asegura la realidad de lo acontecido a Lázaro y, a su vez, es aprovechada por el autor como elemento novelístico, para una situación importante de la narración.

La indicación *"Conde de Alarcos"*, con base en el Romancero o en algún decir de soporte histórico de época, manifiesta el tremendo contraste entre una realidad —sobre la cual se hace hincapié— y un dato poético-histórico, con el cual se compara, para producir una tercera *impresión* —la deseada— que se desgaja de los elementos comparados, y se hace más viva e intensa. Y por último, como fin de la obra,

> *victorioso emperador,*

y también

> *tuvo en ella* [*i.e.* en Toledo]
> *cortes,*

que cumple (además del acomodo real que antes indiqué) el ideal nacional del momento, y que el lector debió sentir muy dentro de sí: la unión de los intereses del *imperio* con los de un sencillo *ser*, Lázaro. Ambos están en la *cumbre de toda buena fortuna.* Con este último dato se integra la vida de Lázaro en la vida del imperio.[11] Nota solemne

10 Véanse los curiosos datos históricos que ofrece Manuel J. Asensio en su *art. cit.*, p. 81 *s.*

11 Esto ya lo intuyó el querido y siempre llorado maestro Karl Vossler *op. cit.*, p. 28. *Cf.* también, Karl Vossler, *Die Dichtungsformen der Romanen* (Sttutgart, 1951), p. 336 *s.* Las ediciones de *B* y *An* dicen *"invicto emperador"* y J. Cejador lo corrige, con base en *A*.

(dejo a un lado las connotaciones irónicas que se le pueden entresacar respecto de esa "*prosperidad*") que coliga la personal *h i s t o r i a* de una existencia pequeña con la H i s t o r i a toda de la nación.

Obsérvese, como importante declaración, la frase "*nuestro victorioso emperador*", con su total y extenso personal posesivo ("*nuestro*") que acoge a todos, incluso a Lázaro; y, después, "*estaua en mi prosperidad*", singularizado en un 'yo' que se cobija en la desinencia verbal ("*estaua*") y, por si hubiese dudas, el objeto ("*prosperidad*"), abarcado por un personal-posesivo individual, de gran regocijo: "*mi*". Un sencillo esquema puede hacernos más patente lo indicado,

1) *en este año* ⟶ *el Emperador* ⟶ *era victorioso*,
2) *en este tiempo* ⟶ 'yo', Lázaro ⟶ *estaba en la cumbre.*

La propia construcción sintáctica, con su intensa colaboración, lo hace visible,

1) el mesmo año nuestro victorioso emperador { a) en Toledo entro y tuuo cortes, b) y se hizieron grandes regozijos } como vuestra merced aura oydo.

↖
pues
↙

2) en este tiempo 'yo' { a) estaua en [=d e n t r o d e] mi prosperidad b) y en la cumbre de toda buena fortuna } * *c o m o v u e s t r a m e r c e d s a b e* (12)

12 Empleo el asterisco (*) delante de la proposición 'c o m o v u e s t r a m e r c e d s a b e' a la manera que se suele hacer en los manuales de lingüística, cuando un vocablo no está testificado documentalmente y se

La conjunción "*pues*", puente de paso entre las dos estructuras, hace simultáneos los dos momentos y los explica (*"el mesmo año"* y *"en este tiempo"*); esto es, los abraza, como antes se abrazó el anafórico *"esto"* (por medio del verbo *ser*) al *"mesmo año que nuestro victorioso emperador en esta insigne ciudad de Toledo entro"*. Y hasta la distinción jerárquica, muy bien ordenada y manifiesta (*"nuestro victorioso emperador"* / *"vuestra merced"* / *"estaua en mi prosperidad"*), se escalona a la manera que el español de esa época lo entendía:

a) emperador,
b) vuestra merced,
c) 'yo', Lázaro.

El lector de entonces —también el de ahora— sentiría toda la 'v e r d a d h i s t ó r i c a' de la obra: la *historia* pequeña, de un hombre esforzado y sencillo (lleno de fortunas, peligros y adversidades), abarcada y fechada por la *Historia* de la Nación.

---

obtiene por reconstrucción (v.g. cerise < *c e r ê s i a, plur. de *c e r e s i u m, en francés, etc.), ya que ha sido puesto por mí y no está en el texto del *Lazarillo*.

VII. UNA NOTA TEMPORAL DE AFECTO Y UNA NOTA TEMPORAL DE SOLEDAD

Si se me permitiera poner un título al tratado tercero, lo llamaría '*tratado de la reconciliación con los hombres y las cosas*', ya que el criado se concilia con su amo y, como resultado de esa conciliación, descubre en sí mismo sentimientos[1] que hasta ese momento habían permanecido escondidos en lo más profundo de su conciencia. Con todo, vale más por ahora que oigamos las palabras del narrador,[2]

> ... con ayuda de *las buenas gentes,* di conmigo *en esta insigne ciudad de Toledo,* adonde *con la merced de Dios*

---

1 Cf. el estudio de Dámaso Alonso, tan lleno de ternura, "El realismo psicológico en el *Lazarillo*" en su libro *De los siglos oscuros al de Oro* (Madrid, 1958), pp. 226-230.

2 Otro dato más que podría servir para reforzar el punto de vista de G. Siebenmann, *op. cit.* Cf. lo que digo en la p. 17, n. 4.

> dende a quinze dias *se me cerro la herida.* Y mientras estaua malo *siempre me dauan alguna limosna.*

He creído oportuno destacar, con letra cursiva, aquellos vocablos que dicen generosidad, pues se desprende de ellos que, en el preciso momento de la narración, la mente de Lázaro *veía* a la gente del pasado, buena; a la ciudad, insigne; a la merced de Dios, actuando; a la herida, cerrándose,[3] y a la limosna pedida, otorgándosele. Si bien después desciende este temple, no hay duda que nos encontramos —el texto lo demuestra— ante una nueva visión del mundo y nuestros oídos comienzan a escuchar una nueva tonada.

Los ojos de Lázaro tienen tiempo para detenerse sobre objetos y detalles que en el pasado no le importaban o pasaba por alto,

> Topome Dios con vn escudero que yua por la calle, *con razonable vestido, bien peynado, su paso y compas en orden.*

Advertimos, además, una leve —pero importantísima— mudanza en la manera de toparse con el amo: "topome *Dios* con un escudero". Antes, fue: "me toparon mis *pecados* con un clerigo".[4]

---

3 Véase lo que digo en el cap. VIII, p. 127, n. 32.

4 Es curioso que diga "*cra de mañana,* quando este mi tercero amo tope", y que luego diga "hecha la cama y la *noche vcnida*" o "y *mañana, venido el dia,* Dios hara merced". Expresiones que juegan muy bien con la melancolía del tratado, donde tanto cuenta el tiempo.

Si nos detenemos en el *contorno*, advertimos que, aparentemente, no ha variado mucho. En el tratado primero era el campo, los caminos, la calle, los mesones, etc. En el segundo, la casa del clérigo, la de los enfermos y la iglesia. En el tercero, se dejan ver elementos de uno y otro tratado: encontramos a Lázaro en la casa, por la calle, en la iglesia, en casa de sus vecinas, tendido en el campo, etc. Entonces ¿qué ha cambiado? Lo que ha cambiado es el espíritu del tratado. Y ese espíritu se manifiesta, al presente, en el modo de mirar, de detenerse a ver la gente, los lugares, las cosas, las acciones de los otros, etc. Por eso, gente, lugares, cosas y acciones se muestran con rasgos que antes no eran visibles para Lázaro. El espíritu ha invadido, pues, el *contorno* y le ha conferido, con su fuerza, otras formas y otro temple, como ha invadido también el alma de Lázaro.[4a]

Las cosas, ahora, tienen historia, importancia o valor. La *espada* del escudero es elogiada,

> "¡Oh si supiesses, moço, que pieça es esta [*i.e.* 'la espada']! No ay marco de oro en el mundo por que yo la diesse";

4a Ya en prensa este libro, cae en mis manos el texto de la conferencia de José Ortega y Gasset "El mito del hombre allende la técnica", conferencia pronunciada en la *Darmstädter Gespräch 1951* y ahora recogida en las *Obras Completas*, t. IX, pp. 617-625. Sorprendido por la semejanza entre lo que digo respecto de Lázaro y lo que expresa Ortega y Gasset en cuanto al 'entorno' (aunque yo hablo del 'contorno'), me permito remitir al lector a esa conferencia, en especial la p. 621 *ss.*: ". . . encontró tal riqueza en imágenes internas, la dirección de su atención realizó el más grande y patético giro desde fuera hacia adentro. Empezó a prestar atención a su interior, es decir, *entró en sí mismo . . .*" El subrayado es del autor.

la *casa* vacila entre realidad, fantasía y superstición,[5] y *su* destino se encadena con la vida del escudero (desgracias, hambre, desasosiego) ; de ahí el deseo de huir, de escapar,

> "Que ay casas desdichadas y de mal pie, que a los que viuen en ellas pegan la desdicha"

* *

> "como ves, es lobrega, triste, obscura. Mientras aqui estuuieremos, hemos de padecer";

se habla del reloj; sabemos a qué hora ocurren los hechos y, a veces, se pasa, atrevida y socarronamente, del número indicador de la hora al número de cosas conseguidas,[6]

5 Hay otros ejemplos: "¡Maldita sea ella y el que en ella puso la primera teja, que con mal en ella entre! Por nuestro Señor, quanto que en ella viuo, gota de vino ni bocado de carne no he comido ni he auido descanso ninguno; mas, ¡tal vista tiene y tal obscuridad y tristeza!" Recuérdese lo que se dice para con la casa del clérigo y nuestro ejemplo de contraste en el cap. IV, p. 56 *s*.

La casa, al final del tratado, se puebla de objetos que las palabras van introduciendo en ella: "Que es la hazienda de tu amo, sus arcas y paños de pared y alhajas de casa?" La 'c a s a s i n' se transforma en un instante en la 'c a s a c o n', por virtud de las palabras nombradoras. El juego (realizado por el 'v a c i o' que sabíamos y el 'l l e n o' que ahora oímos) es tremendo. No nos sorprenderá la frase de Lázaro: "parescia casa encantada". Cf. G. van der Leeuw, *Fenomenología de la Religión* (México, 1964), p. 326 *ss*.

6 He aquí algunos ejemplos de tiempo concreto: "hasta que dio las onze"; "dio el relox la vna despues de medio dia"; "hora de mandar poner la mesa"; "por ser ya casi las dos"; "aun no eran dadas las ocho"; "hasta que dio las dos estuue"; "desde a quatro dias"; "que en ocho dias maldito el bocado"; "hazen cuenta y de dos meses"; "a la tarde ellos volbieron"; "esta noche"; etc.

Aquí sería el momento de estudiar el tiempo *cronológico*, de tanto interés en este tratado, pero no podemos ocuparnos de él ahora.

Despues de ser las dos y no venia...

* *

antes que el relox diesse las quatro,
yo ya tenia *otras tantas de pan* ensiladas;

se tiene en cuenta las divisiones del día, con más insistencia que en los tratados anteriores,

era de mañana cuando este mi tercero
amo tope;

* *

hecha la cama y venida la noche...;

aparecen *"reboçadas"* mujeres en diálogo con el amo; mujeres que otorgan a Lázaro lo que pide (cuando las uñas de vaca y las tripas); mujeres que le *"dan la vida"*, lo dejan dormir en casa y, además, lo salvan de caer en manos de la justicia. Dios ayuda, con sus mercedes, a criado y amo. Se va a la iglesia y se oye misa. Los personajes tienen gentil semblante y continente y van contentos por la calle, aunque no hayan probado bocado. La vida cotidiana del d e b e r a alguien, del p a g a r o n o - p a g a r, está en juego. Se llora y se ríe: Lázaro llora por primera vez y lo declara con insistencia repetitiva. Aparece varias veces el adjetivo *"risueño"*, con el fin de fijar un especial estado de ánimo. Las escenas de burla que siempre fueron a costa del amo y luego, por consecuencia, en perjuicio del criado, lo son ahora[7] por una causa exterior: un entierro que pasa por las calles de Toledo, seguido por los gritos de la viuda del muerto y que Lázaro trueca, por error, en su perjuicio. El escudero expone ante los asombrados ojos y oídos de Lázaro *su* pasada vida. Lázaro *quiere* bien a su amo y lo c o m - p a d e c e. Se habla de honra y de los defectos que ésta conlleva, cuando es mal interpretada, según el punto de vista de Lázaro.[8] El criado, lleno

---

7 Esta escena está tocando los elementos del comienzo de la escena de la longaniza en el tr. I. Lázaro es enviado por vino, como entonces. ¡Cuán distinto el mundo interior de una y otra acción! Creo que es una persistencia de lo ocurrido en el tr. I, pero vuelta del revés, a manera de contraste. ¿La tópica del 'mundo al revés'?

8 La honra es *negra*, como también lo son el colchón y la cama. Es significativo el uso frecuente de *"negro"*; merecería un estudio particular: tr. I: "negro de mi padrastro", "negrito muy bonito", "de mi negra trepa", "negra longaniza"; tr. II: "negros remedios"; tr. III: "negra cama", "negro colchón", "negra que llaman honra", "negra honra"; tr. V: "negro alguazil".

Para Bruce W. Wardropper (*NRFH*, XV, 1961, "El trastorno de la moral en el *Lazarillo*", pp. 441-447), "el episodio entero *no aspira más* que a deshacer la autoridad que en el mundo y entre el vulgo tiene el sentimiento del honor". p. 445. El subrayado es mío.

Tengo para mí que la *honra que llaman negra* representa un o b j e t o nuevo para Lázaro y lo descubre tan pronto como entra en el mundo que le brinda el tratado tercero. Sin que intente negar lo que dice B. W. Wardropper (que considero de gran interés), creo que Lázaro trata más bien de poner ante nuestros ojos cuán fantástica e imaginada es *la honra que llaman negra*, y ésa es la razón de que la someta a juicio crítico, no en abstracto, sino actuando y viviendo en una persona determinada y cercana a él: el escudero. La proximidad con el mundo moderno hace que nuestro autor c o m p r e n - d a al hombre que 'h a c e s u v i d a', y que no la tiene por causa de nacimiento (por ejemplo, Cf. Ruiz de Alarcón, *La Verdad Sospechosa*, acto II esc. 11). Por otro lado, su nexo con el mundo medieval le conduce a mostrarse *él mismo*, como *enxemplo*, como también se sirve del punto de vista medieval: *ridendo dicere uerum*. He aquí el motivo de que *'Yo-Lázaro'* se acerque a los dos mundos: al medieval y al moderno. Nuestro autor es un hombre que divisó, desde el *enclave* del siglo XVI, el pasado y el futuro desde su presente, con ojos de artista, pero en ningún momento con ojos de sociólogo.

de espanto, se abraza al amo y solicita su protección y ayuda. Hay invocaciones del tipo de *“¡Bendito Seays!”*, en silencioso estilo directo. Y surgen las hipérboles, graciosas y juguetonas. Abundan los cariñosos y tiernos diminutivos y los generosos superlativos. Los zeugmas concurren como si fuesen mariposas de abigarrados colores: no tienen el carácter brusco a que estábamos acostumbrados en los episodios anteriores. Y el estilo directo, ya sonoro, ya callado e íntimo, vive por todo el capítulo.[9]

Detengamos nuestra descripción general ante unos tiempos verbales que representan un importantísimo papel (por lo menos, así me lo parece) en el mundo interior y fecundo del tercer tratado.

Cuando el escudero habla con Lázaro, se expresa así,

> “aunque de mañana *yo auia almorzado* [...], por eso, *pasate* como *pudieres*, despues *cenaremos*.”
>
> (p. 124)

No escapará al lector que, tan pronto como el escudero se refiere al pasado, se singulariza *(“yo auia almorzado”)* y empuja a un lado a Lázaro *(“pasate*

9 “huessezillo”, “bolsilla”, “puntillos”, “peccadorcico”, “cosillas”, “mañanicas”, “mugercillas”, etc. No se olvide que en el primer tratado aparecen algunos diminutivos del mismo tinte que estos: “hermanico”, “negrito muy bonito”, “moçuelo”. “Pongo en las vñas la *otra*”, “venida la noche y el *no*”, etc. Obsérvese el contraste con uno del II: “como la necesidad sea tan gran maestra, viendome *con tanta* siempre”, o con este otro: “porque viera la falta el que *en tanta* me hazia biuir”; “quien no le conosciera pensara ser muy cercano pariente del conde Alarcos, o a lo menos camarero que le daua de vestir”; “hecho un Macias, diziendoles mas dulçuras que Ovidio escriuio”, “mejor que vn galgo suyo lo hiziera”, “mas largo que galgo de buena casta”. “Sabrosissimo”; “comamos oy como condes”, etc.

como pudieres"). Pero, en cuanto se refiere al futuro, usa de un plural abarcador y se abraza con su criado: *"cenaremos".* Es decir, por un lado, tenemos —me atrevo a llamarlos así— un pasado de soledad que no permite que nadie se le acerque; por otro, un futuro de afecto, generoso, casi de brazos abiertos. Y lo mismo acontece cuando se trata de tomar una decisión: el punto de partida de la decisión es puesto en pasado o presente, pero encerrado siempre en un singular de soledad *("he alquilado")* como también deja, visiblemente aparte y solo, a Lázaro *("te huelgues");* sin embargo, los beneficios que se obtendrán con la *importante* decisión reclaman el plural abarcador, repleto de generosidad y afecto,

> "Mas *te hago saber,* porque *te huelgues,* que *he alquilado* otra casa y en esta desastrada *no hemos de estar* mas de en cumpliendo el mes."
>
> (p. 135)

Recordemos, por su enérgico y amargo contraste con nuestro capítulo III, otros casos en que aparece el *plural abarcador:*

> "agora quiero yo vsar contigo de vna liberalidad y es *que ambos comamos este razimo de vuas* y que ayas dél tanta parte como yo"
>
> (Tr. I)

* *

> "¡Lazaro! ¡Mira! ¡Mira que perse-

> cucion ha venido aquesta noche *por nuestro pan!*"
>
> (Tr. II)

Creo que este procedimiento[10] —sólo se halla en este tratado, con su doble situación— representa un activo recurso, acuñado con el interesado propósito de mantener un hálito de soledad, comprensión, humanidad y melancolía que traspasa el capítulo de parte a parte. Por su medio, nos encontramos en el pasado del escudero o en el punto de partida de sus resoluciones y, una vez ahí, comprendemos su íntima soledad (manifiesta además por otros elementos colaboradores), como también vemos a Lázaro, puesto a un lado, solo. Impetuosamente y en seguida, se levanta el plural generoso, humano, de *mano tendida* al criado, aunque lo que con él se diga no tenga j a m á s cumplimiento. La esperanza ilumina la *lóbrega, triste, obscura* casa; mas por muy pocos segundos, ya que es intermitente: el motivo alimentador de una esperanza es pronto sustituido por otro y así se continúa hasta la desaparición del *hacedor* de ilusiones y promesas verbales, que se lleva consigo el recurso; a saber, su habla y su *negra honra.* Lázaro queda solo, *dexado de su amo,* contra costumbre, en melancólica e ingenua reflexión, sin más salida que la de buscar *otro.* Hasta que unas manos femeninas —las vecinas que *le dieron la vida*— lo conducen, con harta buena fe, al fraile de la Merced, aunque después resulte que éste no era lo que se había esperado que fuese.

10 Cf. A. Cavaliere, *op. cit.*, 122, 124, 125, 126, 128, 131, 135. A veces es resuelto por un posesivo + sustantivo: "*nuestra* casa".

Recordemos, como ejemplo último y donde el recurso es llevado a sus extremas posibilidades, el instante en que el escudero acaba de *decir* lo que es su vida, su hacienda, sus intenciones y su manera de entender el mundo (pp. 137-141).

El orden ha sido muy bien establecido: cuando el *contar* del escudero está a punto de iniciarse, Lázaro nos prepara,

> Y en todos [a q u e l l o s d i a s] deseando saber la intención de su venida y estada en esta tierra [...]. Al fin se cumplio mi desseo y supe lo que desseaua: porque vn dia que auiamos comido razonablemente y estaua algo contento, contome...
>
> (p. 137)

El contexto declara el proceso mental de Lázaro: el criado, en su soledad, desea *saber* la razón de ser y vivir de su amo, también en soledad; para que este deseo se cumpla, urge la existencia de un *puente* que ponga en contacto la orilla espiritual de Lázaro con la orilla espiritual del escudero; el puente ha de ser un p l u r a l a b a r c a d o r: verbal, por un lado, pero efectivo y real por otro: "vn dia que *auiamos comido* razonablemente". Cumplido el requisito, comienza el p a s o de alma a alma, y el escudero, entonces, despliega su enrollada y solitaria vida ante su criado.

Todo es dicho en singular de soledad: usa siete veces *"yo"* y otras tantas ese 'yo' en forma de objeto directo o indirecto, o en forma de personal-posesivo (*me, —me, mi, mío,* etc.). Se avanza cautelosamente desde el pasado (*"acuerdome que vn dia"*),[11] hasta encontrar asidero en el presente (con soporte en un artificioso y cortesano juego de comparaciones: *"que no soy tan pobre que no tengo en mi tierra vn solar"*). Vuelve a desplomarse nostálgicamente en el pasado: *"que dexe por lo que tocaua a mi honra"*. Se incorpora, a duras penas, por medio de un presente real, cargado de reclamos y desconfianza: *"canonigos y señores de la iglesia* [...] *hallo* [...]; *caballeros de media talla..."*; etc. Y Lázaro, lleno hasta los bordes de su alma de los elementos de un mundo hasta entonces ignorado, susurra al oído espiritual del lector,

> Desta manera lamentaua *tambien* su aduersa fortuna mi amo, dandome relacion de su persona valerosa.
>
> (p. 141)

Me lo imagino con los ojos llenos de lágrimas. Lázaro se ha llevado al escudero —entonces, y ahora en su recordar— a lo más callado de su corazón, a fin de formar un *todo* con él: ambos p a s a d o s se abrazan en el presente. Ya lo había hecho antes —tanto en la escena del pan *"del por Dios"* como en la de las *uñas de vaca* regaladas (p. 131 *ss.*); pero allí se trataba de acciones inmediatas y simultáneas: el hambre del escudero, saltándole a gritos por los ojos, y el

11 Al explicar a Lázaro el 'deshonrar a un ofizial', el escudero juega con las expresiones *"mantengaos Dios a Vuestra Merced"* y *"Beso las manos de Vuestra Merced"* (p. 138 *s.*). Su vigilancia, al observar una diferencia lingüística (forma plebeya y forma cortés), la recoge como motivo temporal de interés novelístico. Fray Antonio de Guevara la señala sólo como un problema de maneras de hablar: "entre los aldeanos y plebeyos, y no entre los cortesanos y hombres polidos". Cf. *BAE*, t. XIII (Madrid, *s.a.*), p. 189.

saber, por parte de Lázaro, lo que *eso* significa cuando se tiene: *"porque senti lo que sentia y muchas veces cuia por ello pasado"* (con el verbo repetido, a fin de intensificar su juicio). Mas no se trata ahora de eso; se trata del c o n o c e r la lamentada vida de su amo, con *su aduersa fortuna,* y con algo totalmente nuevo en su experiencia: la confesión de un vivir. Otro hombre —y además su amo— le cuenta y le pone, ante los ojos y oídos, su vida. Por eso, Lázaro engendra rápidamente un plural p s í q u i c o, evidente en las entrañas lingüísticas del adverbio *"también"*, pues significa —en traslado mental—,

> 'j u n t a m e n t e c o n *m i* a d- v e r s a f o r t u n a *s u* a d v e r- s a f o r t u n a'.

El sustantivo de jerarquía y trato respetuoso (*"mi amo"*) está escondido, con todo cuidado, en el centro del período, y junto a él Lázaro. La proposición de remate, sostenida en un expansivo gerundio ("dandome relacion de *su persona valerosa*"), vibra en nuestros oídos con triste acento, por virtud del contraste que ofrece al chocar bruscamente con la frase del principio: *"su aduersa fortuna"*.

El p a s a d o de relación, solitario, balbuceante, tímido, llega hasta las fronteras del presente y ahí se encuentra (como en las expresiones del escudero que señalé antes) con un plural cariñoso que lo abraza y lo hace suyo: el sencillo adverbio *"t a m - b i é n"*, tan sencillo y pequeño como el corazón de Lázaro. Sólo la terrible realidad podía romper ese h u m a n o m o m e n t o entre 'criado-amo'; la realidad del mundo interesado, mezquino,

> Pues, estando en esto, entro por la puerta vn hombre y vna vieja. El hombre le pide el alquiler de la casa y la vieja el de la cama. Hazen cuenta y de dos meses le alcançaron lo que el en vn año no alcançara...
>
> (pp. 141-142)

Y tras ello, como es natural, la *salida sin vuelta* del escudero. Y el mozo, solo (frente a una realidad encrespada, agresiva, chillona), con su *aduersa fortuna* a las espaldas y *la de su* amo en el alma.[12]

---

12 La soledad de Lázaro es tremenda: "*mi* pobre tercer amo . . . *mi* ruyn dicha . . . hazia *mis* negocios tan al reues . . . mas que *mi* amo me dexasse e huyesse de *mi*". No se oye más que "*mi*".

VIII. EN TORNO A LAS "DOS FORMAS DISTINTAS DE ELABORACIÓN"

Desde hace ya muchos años, la 'e l a b o r a c i ó n' del *Lazarillo** de Tormes es tema de preocupación para los estudiosos de la literatura española. Las preguntas en su torno son muy diversas: ¿por qué esa diferente *marcha de la acción* entre los tres primeros tratados de la obra y los cuatro últimos? ¿qué motivos incitaron al autor a cambiar de técnica? ¿implica acaso una falta de unidad?

F. W. Chandler explica,[1]

---

* A buen seguro, este ensayo no habría tenido nacimiento si no hubiesen existido las importantes *palabras* que, en su respectivos trabajos sobre el *Lazarillo*, emplearon y forjaron los profesores Karl Vossler y Ángel Valbuena y Prat y que me sirven de fundamental punto de apoyo. Mi deuda para con los dos estudiosos es inmensa.

1 F. W. Chandler, *La novela picaresca en España* (Madrid, 1913; traducción de M. Robles), p. 129.

El texto inglés dice así: "The pace was never twice the same, leisurely at first and beating off hurriedly at last, it galloped, trotted, or walked at caprice, and the quality of the ground covered was even more echanging". Y sigue diciendo: "Such as it was, however, the *Lazarillo de Tormes* must

> La marcha de la acción en el Lazarillo no es nunca la misma: *sosegada al principio, acelerada después, y por último galopante, desbocada, a capricho y según que las condiciones del terreno recorrido lo iban exigiendo.*

Karl Vossler señala,[2]

> ...se desenvuelve [el *Lazarillo*] en *libre simetría* a través de siete «tratados», de los cuales el cuarto y central constituye *la transición dentro de la obra.*

Ángel Valbuena y Prat nos advierte,[3]

> ...acaso podría añadirse a esta técnica [*i.e.* la de los tres primeros tratados] el episodio del buldero. Pero, *a diferencia de éstos, los rápidos croquis* del fraile de la Merced y del pintor, el capellán y el alguacil, hasta quedar el protagonista como pregonero de Toledo, *son meros bocetos o alusiones.*

---

rank as one of the most celebrated and influential of Spanish fictions". *The Picaresque Novel in Spain* (New York, 1859), p. 205. El subrayado es mío.

2 Karl Vossler, "Spanischer Brief an Hofmannsthal", *Eranos* (Munich, 1924); recogida ahora en el libro *Algunos Caracteres de la Cultura Española* (Buenos Aires, 1942), p. 27 *s.* y de cuyo texto y traducción me sirvo.

3 A. Valbuena y Prat, *Historia de la Literatura Española* (Barcelona, 1946), t. I, p. 490 *s.* El párrafo citado empieza así: "penetrando en el interior del arte sencillo y preciso de la obra, advertimos las diversas formas de elaboración . . "; pero me ha parecido mucho más concreto como lo dice en su libro *La Novela Picaresca Española* (Madrid, 1946): "penetrando en el interior del arte, sencillo y preciso, de la narración del Lazarillo, advertimos inmediatamente cómo hay en él *dos formas distintas de elaboración*"; p. 36. Frase, esta última (el subrayado es mío), de donde he sacado el título del presente capítulo.

A. González Palencia lo juzga así,[4]

> ... son mejores los tres primeros tratados que los cuatro últimos [...] que *acaso no fueron terminados y sólo se conservan en forma de esbozos iniciales.*

He escogido estos cuatro textos, de entre lo mucho que se ha escrito sobre el *Lazarillo,* por parecerme que son puntos de vista muy significativos. Me importaba, al recogerlos, mostrar cómo algunos investigadores ven el problema o cómo lo resuelven.

Sin desdeñar las explicaciones de F. W. Chandler, Valbuena y Prat y González Palencia (que hasta cierto punto aprovecho), creo que la que me ofrece más insinuaciones es la de Karl Vossler. Me refiero especialmente al concepto de *transición.* Con base en ello, intentaré decir cómo entiendo la 'e l a b o r a c i ó n' del Lazarillo y, por razones de método, dividiré mi estudio en tres *campos.*

1º *Explicación que se sostiene en las 'f u e n t e s'*

Cuando la investigación literaria empezó a analizar el mundo artístico del *Lazarillo,* le descubrió algunas fuentes folklóricas y literarias.

---

4 A. González Palencia, en el prólogo de su edición del *Lazarillo de Tormes* (Zaragoza, 1950), p. 17. El subrayado es mío. Véase también lo que dice S. Gili Gaya (*op. cit.*, p. 96): "con excepción del episodio del buldero, estos últimos capítulos son simples bocetos que el autor no llegó a desarrollar". Y el punto de vista de F. Courtney Tarr, "Literary and artistic unity in the *Lazarillo de Tormes*", *PMLA*, XLII (1927), quien se basa en el tema del *hambre* [="*hunger theme*"].

Encontró que el nombre "Lázaro", como criado, era ya conocido por el refranero y que también aparecía en *la Lozana Andaluza* (1528) de Francisco Delicado. Descubrió, además, que Juan de Timoneda, en *Menechmos* (adaptación de una obra de Plauto), se expresaba de este modo: *"Lazarillo de Tormes, el que tuvo trescientos y cincuenta amos".*[5]

Respecto de la pareja 'muchacho-ciego', halló su equivalente en el francés 'garçon-aveugle', en un cuento, y luego en una *farce* de 1275.[6] La misma pareja volvemos a encontrar en una ilustración de las *Decretales de San Gregorio* —siglo XIV—, donde "se halla un ciego con una vasija, y un mozo que, a hurtadillas, sorbe el vino con una paja".[7] La ruptura del par 'muchacho-ciego' aparece en un texto de Se-

---

5 Valbuena y Prat, *La Novela Picaresca*, p. 36. En el *Menechmos* (escena XI) dice: "Es el más agudo rapaz del mundo, y es hermano de Lazarillo de Tormes, el que tuvo trescientos y cincuenta amos". El texto de la *Lozana Andaluza* está en el mamotreto XXXV, p. 137.

6 Morel-Fatio, *Études sur l'Espagne* (Paris, 1888), cap. II. Mario Roques, editor, *Le garçon et l'aveugle* (Paris, 1921), quien da como fecha de composición y de representación, aproximadamente, el año 1275, en Tournai. Sin embargo, Albert Henry, en su *Chrestomatie de la Literature en Ancien Français* (Bern, 1953), dice en la nota previa al texto de *Le garçon et l'aveugle*: "La plus ancienne farce connue; composée dans la seconde moitié du XIIIe s. (après 1266) probablement à Tournai; transmise par le seul ms., picard, Paris, B.N. fr. 24.366, écrit dans la seconde moitié du XIIIe s." p. 288. Gustave Cohen, "La scene de l'aveugle et son valet", *Romania*, XLI (1912), pp. 346-372. G. Cohen encuentra todavía la *pareja* en el siglo XV. G. Cohen, *La "Comedie" latine en France au XIIème siècle* (Paris, 1931), t. I, p. xii *s*. Véase también la crítica que hace de la *farce* Foulché-Delbosc, *a.c.*, *RH*, p. 87 *ss.*

7 Valbuena y Prat, *Historia de la Literatura*, t. I, p. 491. Ya lo había señalado Bonilla y San Martín en su edición del *Lazarillo* (Madrid, 1915) y reproduce la indicada ilustración; también en el *art. cit.*, de Foulché-Delbosc. Véanse las ilustraciones en el cap. XI, p. 193 *ss.*, en especial la fig. 1, p. 195.

bastián de Horozco y pertenece, por otro lado, al folklore,[8] como lo demuestran algunos cuentos populares.

En lo tocante a la pareja 'm u c h a c h o - c l é r i g o', puede que tenga su fuente en algún cuento medieval, oral o escrito. Para crear el nudo y forjar el desenlace de esta pareja, ya hemos señalado que es una *contaminatio*, con base en elementos tomados del primer capítulo.[9]

La pareja 'c r i a d o - e s c u d e r o' da la impresión, por su textura, que toma pie en alguna narración oral o escrita, muy próxima a la vida del autor, y desenvuelta, posiblemente, de modo muy distinto del original. Aunque también puede tener apoyo en la pareja 'c a b a l l e r o - e s c u d e r o'[9a] de las novelas de *Caballería* o en la experiencia cotidiana de tal clase de relación. La escena del entierro aparece en el *Liber facetiarum et similitudinum* (manuscrito del siglo XVI, Biblioteca Nacional, Madrid) y "la lamentación de la viuda no es otra cosa que una traducción de un pasaje de la lección IX del Oficio de Difuntos".[10]

La pareja 'b u l d e r o - a l g u a c i l', como señaló Morel-Fatio, "tiene su germen en un cuento de Massuccio Salernitano".[11]

---

8 J. Cejador y Frauca, *o.c.*, p. 106 y nota 4. Fernán Caballero, *Cuentos y poesías populares andaluces* (Sevilla, 1859), p. 176.

9 Cf. cap. IV, p. 60 *s*.

9a. Para este posible influjo, véase M. Criado de Val, *RFE*, XXXIX (1955), p. 240.

10 J. Hurtado y A. González Palencia, *Historia de la Literatura Española* (Madrid, 1949), p. 357; y J. Cejador y Frauca, o.c., p. 108, n. 8.

11 M. Menéndez Pelayo, *Origen de la Novela* (Buenos Aires, 1946): "es el 4º del *Novellino*. Notó antes que nadie esta semejanza Morel-Fatio." t. II, p. 499 y nota. Cf. Morel-Fatio, *Vie de Lazarillo de Tormes* (Paris,,

Todo cuanto he señalado nos avisa que el *autor*, amén de ser un buen conocedor del folklore y de la literatura medieval,[12] sabía sacar extraordinario provecho —y muy original— de las fuentes que caían en sus manos: podía *crear* con lo *creado* por otros. Mas, por el contrario, nos da la impresión que su técnica adoptaba otra manera de manifestarse tan pronto tenía que partir de su *ingenio*,[13] por servirme de una palabra cervantina.

Esto explicaría el *sosiego* de los tres primeros tratados (y algo de la técnica del quinto) y su cambio, en *marcha acelerada*, a partir del cuarto, con un *remanso* en el séptimo, donde lo tomado de fuera como lo creado de suyo se acomodan en una combinación equilibrada, que se soporta por el contraste de ambos recursos.

Analicemos un curioso detalle que viene en apoyo de lo que he señalado: con las palabras *"lazarillo"* y *"Lázaro"*, y con la frase (u otra vecina, que pudo haber existido) *"Lazarillo de Tormes, el que tuvo trescientos y cincuenta amos"*, nuestro autor crea el título de la obra: *La Vida de Lazarillo de Tormes y de sus fortunas y adversidades*, que declara una *recreación*, con características propias, de lo ya conocido por todos. Es decir, a lo ya *dado* le proporciona un peculiar tem-

---

1886), p. x *ss.* El libro de Massuccio se imprimió en Venecia, 1522. Véase también J. E. Gillet, "A note on the *Lazarillo de Tormes*", *MLN*, 55 (1940), p. 130 *ss.*

12 Volvemos a caer en la misma característica que ya señalé para los *topoi*, en el cap. I, p. 26 *ss.*

13 Miguel de Cervantes, *Novelas Ejemplares*, en el prólogo.

ple: originalidad en el n o m b r a r. Ahora, tomemos una frase del prólogo y observemos lo que dice:

> y vean que biue un hombre con tantas
> *fortunas, peligros y aduersidades.*

Si admitimos que escribió primero el título (*"de sus fortunas y aduersidades"*), notamos que lo modifica en el prólogo, y hace trimembre lo que era bimembre. Si, al revés, consideramos que el prólogo fue anterior, la frase *"fortunas, peligros y aduersidades"* queda reducida en el título. Es decir, la misma técnica para con las fuentes que para con sus propios materiales: una vez escritos, los ve como *a j e n o s* y se sirve de ellos,[14] lo cual también coincide con el personal uso que hace de la t ó p i c a, como indiqué al analizar el 'prólogo' del *Lazarillo*.[14a]

2º *Explicación que se apoya en la pareja "c r i a d o - a m o"*

La pareja 'criado-amo' es constante en los siete tratados, si bien cada uno de los componentes presenta variados matices de condición social, particularmente el segundo: ciego, clérigo, escudero, fraile, etc. Este

14 Lo que manifesté antes sobre el tratado segundo vendría a afianzar, ahora, esta interpretación: así como lo que digo, ahora, sostiene a aquéllo; y lo mismo cabe decir en cuanto a la *tópica*. Véase cap. I, p. 26 *ss.* y notas.

14a Dejo a un lado el influjo de las estructuras litúrgicas y bíblicas que tan certeramente señaló Julio Cejador y Frauca en la edición de su *Lazarillo* (Cf. el prólogo y las notas explicativas para con algunos textos); y con todo y dejarlas, me incitan a pensar (¡sólo a pensar!) si no tendrán alguna semejanza con la actitud adoptada por Brecht en sus poesías y en las últimas de sus obras teatrales, donde se acerca al lenguaje de la Biblia traducida por Lutero. Véase para esto el penetrante trabajo de H. Egon Holthusen "Versuch über Brecht", en su *Kritisches Verstehen* (Munich, 1961), I.

matiz respecto del *amo,* claro está, influye en el desenvolvimiento episódico e individual del *criado.*

Nos percatamos, después, que el conjunto 'criado-amo' (con predominio del primero, como *'yo-actor',* y del segundo, como *'él-coactor'*) sólo lo tropezamos en tres tratados. Al iniciarse el cuarto, hay un violento cambio: de 'criado-amo' se pasa a 'amo-criado': a saber, el 'yo-actor' se muda en 'yo-observador' y 'él-coactor' en 'él-actor'. Y así se conduce hasta llegar al séptimo tratado, donde se combinan ambos procedimientos, con atenuada preponderancia del primero.

Por último, advertimos que el hilo que enhebra los tres primeros tratados sólo consiste en el cambio de la acción, por un lado, y en la mudanza de uno de los dos elementos de la pareja (el amo), por otro. Quiero decir que hay evidente autonomía entre ellos: el autor se entretiene, en el comienzo de cada capítulo, para organizar algunos detalles, previos al desarrollo del episodio. Por el contrario, a partir del cuarto, el engarce entre tratados se hace lingüísticamente visible y gana en rapidez, por ser inmediato,[15]

> Huue de buscar el quarto (IV),
> En el quinto por mi ventura di (V),
> Despues desto assente (VI),
> Despedido del capellan, assente (VII),

sin que nos tropecemos con el *preparador entretenimiento* de la acción a que estábamos acostumbrados.

---

15 No quiero decir que tales fórmulas no hayan sido usadas con anterioridad a este momento, pues en el tratado III se dice: "era de mañana cuando este mi tercero amo tope". Aparecen, sí, pero mucho después de empezado el capítulo.

Es mi parecer que las últimas palabras del tratado tercero y las primeras del cuarto, como las últimas del cuarto y las primeras del quinto, son punto clave para el cambio que señalamos.[16] El lazo entre los dos tratados (III y IV)[17] se verifica por medio de una especie de *zeugma*

→. . . que *mi amo* me dexasse e huyesse de mi.

(Tr. III)

→Huue de buscar *el quarto* [*i.e.* *amo*] y este fue vn frayle de la Merced.

(Tr. IV),

y por una anáfora[18] de inaudita construcción y extensa lejanía,

que *las mugercillas* que digo me encaminaron.

(IV).[19]

---

16 Es decir, el tratado que Karl Vossler considera el central y el "que constituye la *transición* dentro de la obra". El subrayado es mío.

17 En los otros, recurre: a nexos de enlace inmediato con la acción anterior (*"despues desto"*), a construcciones participiales que, por su carácter adjetivo-verbal, a la vez, relacionan con doble faz y de un modo instantáneo: *"despedido del capellan"*. Cf. Rafael Lapesa, *Historia de la Lengua Española* (Madrid, 1959), pp. 222 y 257.

18 Unas doscientas líneas antes de terminar el tratado, dice: "a mi dieronme la vida unas *mugercillas hilanderas*"; unas cuarenta antes: "y fuime a las vezinas"; y unas veinticinco antes: "las vezinas que estauan presente, dixeron".

19 Dentro del relato, en pasado, introduce un insólito presente: "que digo", en lugar de 'q u e d i x e'. ¿Es quizá por una atracción (¡tan intensa!) más afectiva que gramatical hacia las *mugercillas*, que las ve en presente? ¿o es por la atracción mental que le produce el episodio, que se olvida que estaba hablando del pasado?

El enlace entre el cuarto y el quinto tratado se efectúa de modo semejante y con el mismo procedimiento, pero recurre a un rápido contacto,

> →Y por esto y por otras cosillas que no digo sali *dél*
>
> (Tr. IV)
>
> →En el quinto [*i.e.* "é l" = a m o; y también 'de ellos'[19a]] por mi ventura di, que fue vn buldero.
>
> (Tr. V)

Pero el capítulo tercero concluyó con una singular advertencia en cuanto a *su ruin dicha,* contraria a los hábitos normales de un criado,

> hazia mis negocios *tan al reues,*[20] que los amos, que suelen ser dexados de los moços, *en mi no fuesse ansi,* mas que mi amo me dexasse e huyesse de mi.
>
> (Tr. III)

Merece señal aparte el sentido del texto que antecede, con su frase central *("tan al reues")* y otra de carácter intensivo *("en mi no fuesse ansi"),* porque es manifiesto indicador del cambio que se va a llevar a cabo. Como también merece la pena destacar lo que se dice en el tratado cuarto,

> mas *no* me *duraron* ocho dias [*i.e.* l o s z a p a t o s]. *Ni yo* pude *con su trote durar mas.*
>
> (Tr. IV)

19a. Véase cap. IX, p. 147.

20 ¿Tendrá este "al reues" alguna relación con la tópica del *m u n d o a l r e v é s*, señalado por Curtius? Cf. *o.c*, p. 143 *ss*.

El verbo *durar*, y no en balde repetido, con sus dos limitadores (*"no ... ocho días" / "ni ... más"*), anuncia el cambio de perspectiva en cuanto a seguir con la primera manera de narrar. ¿Se ha hecho conscientemente? No puedo contestar a mi propia pregunta. Pero lo tengo por decisivamente caracterizador en virtud del reiterado uso del verbo *n o - d u r a r*, por una parte, y la alteración del procedimiento,[21] por otra.

Si resumimos ahora todo lo que hemos analizado, tendremos los siguientes datos:

a) un recurso, no usado antes —el enlace inmediato y visible—, se hace habitual;

b) por primera vez nos habla de su *ruin dicha* que le pone las cosas *al revés:* esto es, no como antes le sucedía, o como es costumbre en la relación 'amo-criado'. El 'yo-narrante' también vuelve su manera de contar *al revés:* de 'criado-amo' se pasa a 'amo-criado' y este último se transforma, por lo tanto, de 'yo-actor' en 'yo-observador';

c) se habla de "n o - d u r a r m á s" y, en verdad, ya no dura más la técnica que se empleó hasta ese momento;[22]

d) en el tratado cuarto empiezan a dominar (expresos o sobreentendidos) los verbos con significación de *mirar a, ver a, oír a, escuchar a,*

---

21 ¿No responde, acaso, al mismo temple y al mismo tipo de cambio el silencio voluntario que adopta: *"y por esto y por otras cosillas que no digo, salí dél"*? Obs., como muy significativa, la expresión: "ni yo pude con su trote".

22 Ya en el tratado III, p. 134, usó 'no-durar'; pero la *mala fortuna* hizo que Lázaro 'n o - d u r a s e'. En nuestro ejemplo, es su decidida voluntad quien *'no-desea-durar'* con el fraile de la Merced.

decir los otros, etc.; en tanto que antes eran los verbos *mirar, ver, oír, escuchar, decir* esto o aquello;

e) surge, con gran regularidad, el punto de vista del narrador en cuanto a decisiones o cambios: la voluntad de 'hacer' o de 'no-hacer' es quien ahora gobierna,

> y por esto y por otras cosillas que no digo sali dél.
>
> (Tr. IV)

* *

> En el quinto por mi ventura di, que fue vn buldero . . .
>
> . . . .
>
> Finalmente, estuue con este mi quinto amo cerca de quatro meses, en los quales pase tambien hartas fatigas.
>
> (Tr. V)

* *

> Desque me vi en abito de hombre de bien, dixe a mi amo se tomase su asno, que no queria mas seguir aquel officio
>
> (Tr. VI)

* *

> Con esto renegue del trato
>
> (Tr. VII).

Hay, pues, un cambio de *interés* que repercute, por consecuencia, en la mudanza de las parejas, (de 'criado-amo' a 'amo-criado'), en el *modo* de desenvolver los episodios y, todo junto, en el *e s t i l o*.[23] En el tratado séptimo es donde se congregan los dos procedimientos (el de los tres primeros tratados y el de los tres siguientes), con prevalencia del primero sobre el segundo. Por eso, el 'yo-observador' intenta, en algunos instantes, convertirse en 'yo-actor' y, por eso mismo, el equilibrado juego entre la *prisa* y el *sosiego*.

En resumen, tenemos tres estilos que el estudio de las 'parejas' declara de suyo: el del 'yo-actor', el del

---

23 Téngase en cuenta, por ejemplo, que el encuentro con el amo se expresa por medio del verbo «topar»; así también ocurre con las dificultades, sobre todo en el tr. III: "Me toparon mis pecados" (tr. II); "topome Dios con un escudero" (tr. III); y cuando recuerda el pasado, surge el mismo verbo: "alli se me vino a la memoria la consideración que hazia, cuando me pensaua yr del clerigo diziendo que, aunque aquel era desuenturado y misero, por ventura *toparia con otro peor*" (tr. III); "en el quinto por mi uentura di . . ." (tr. IV); "despues desto assente con un maestro" (tr. VI); "Un capellan della me rescibio por suyo" (VI). Como se ve, este empezar tiene cierto parecido con el comienzo del segundo tratado: "finalmente, el clerigo me rescibio por suyo"; ¿atracción efectuada por virtud de lo religioso: 'clérigo' — 'capellán'?; claro está, en el tr. VI ya todo es fácil: es el otro estilo; en cambio, en el tr. II hay fuertes dificultades, por ello necesita apoyarse en "*finalmente*, el clerigo me rescibio por suyo". "Assente por hombre de justicia con vn alguazil" (tr. VII); "y pensando en qué modo de biuir haria mi assiento . . . quiso Dios alumbrarme . . . y. . . todos mis trabajos y fatigas . . . fueron pagados con alcançar lo que procure. Que fue vn oficio real" (tr. VII).

El verbo "a s e n t a r" ha estado presente en todos los encabezados o títulos de capítulo. Es dominante: está ahí, ante nosotros y adquiere fuerza contextual sólo a partir del tratado sexto. Salta del título a la narración y forma íntimo cuerpo con ella. En el séptimo se viste de sustantivo: "assiento". La idea de *seguridad* ha estado en el aire —es decir, en los títulos—, hasta que en el sexto penetra en el cuerpo de la acción. No en balde surgen entonces la palabra "oficio", con asiduidad, y, paralela con ella, la frase, cargada de certidumbre: "*fue el primer escalon que yo subi para venir a alcançar buena vida, porque mi boca era medida*" (tr. VI). En contraste con todo lo expuesto, pensemos en la frase que dice cuando la escena de la *longaniza* (tr. I): "aun no auia hecho *assiento*"; frase clave, que representa el estado de vida de entonces.

'yo-observador' y el estilo mixto: 'yo-actor' + 'yo-observador'.

3º *Explicación que se asienta en el conjunto 'd e n t r o - f u e r a'*

Unas líneas después de haber empezado el tratado primero, nos dice Lázaro:

> Mi *nascimiento* fue *dentro* del rio Tormes, por la cual causa *tome el sobrenombre,* y fue desta manera [...]. Y estando mi madre *vna noche en la hazeña preñada de mi,* tomole el parto y *pariome alli.* De manera que con verdad me puedo dezir *nascido en el rio.*
>
> Pues siendo yo niño de ocho años, achacaron a mi padre ciertas *sangrias mal hechas en los costales* de los que allí a moler venian, por lo qual *fue preso y confesso* e no nego y *padescio persecucion* por justicia. Espero en Dios que *esta en la gloria,* pues el Euangelio los llama bienauenturados.

Se destaca inmediatamente, en este texto, el par 'cerrar-abrir', 'meter-sacar', 'entrar-salir':

> *"dentro del rio", "preñada de mi", "en los costales", "fue preso", "esta en la gloria";*

y también

> *"mi nascimiento", "tomé el sobrenombre", "pariome alli", "nascido en el rio", "sangrias ... en los costales",*

"confesso e no nego", "padescio persecucion".

Este par (y los otros que he señalado) domina los episodios de los tres primeros tratados: en acciones importantes y en hechos de poca monta. Es así como los verbos 'entrar', 'salir', 'cerrar', 'abrir', 'meter', 'sacar', adjetivos de significación igual o próxima, preposiciones y adverbios indicadores de esas relaciones, o sustantivos portadores de conceptos semejantes, aparecen abiertamente por los tres tratados.

Creo de necesidad advertir que los elementos que constituyen estas parejas son *contrarios* entre sí; representan de suyo una pugna por pasar de un estado a otro, sin conseguirlo definitivamente. Si bien hay veces que *p a r e c e* haberse logrado el paso.

Observemos el tratado primero: Lázaro es sacado de su casa por el ciego; el fardel del ciego *"se cerraba con una argolla de hierro y su candado y su llaue* y la obra de Lázaro consistía en sangrar el *"auariento fardel"*; el *"jarrillo de vino"* está en manos del ciego y el mozo inventa el modo de sacar su contenido; la *longaniza* que estaba dentro *("en el estómago")* vuelve a su dueño; el rostro de Lázaro es abierto, de un golpe, por el jarrazo del ciego; el secreto de la *jerigonza*[24] queda abierto a la comprensión de Lázaro; nuestro mozo *despierta de la simpleza* por brutal astucia del ciego; el ciego es un hombre cerrado a la visión del mundo y tiene que *abrir* otros ojos, muy distintos de los órganos de la vista;[25] para salir del ciego, Lázaro

24 Para 'jerigonça', véase Leo Spitzer, *RFE*, IX (1922), p. 326.

25 Por eso dice, con penetrante ironía, al soltarse del ciego: "Dios le cego aquella hora el entendimiento". Recuérdese también, por ejemplo, la escena de las uvas.

espera que *Dios le ciegue el entendimiento.*

En el tratado segundo, *sale del trueno para entrar en el relámpago*: es el clérigo de Maqueda.[26] Y volvemos a lo mismo: un *arcaz* cerrado, como cerrada está la *cámara* donde se guardan las cebollas; las llaves (para 'abrir-cerrar', 'sacar-meter' de 'dentro-afuera' o de 'fuera-adentro') están atadas en un *falsopecto*[27] (=dentro) del clérigo; por un momento se ve camino de un *dentro* que le espanta (*"vime claramente ir a la sepultura"*) y para estar *fuera* (=vivir), decide usar sus *mañas;* la *concha* donde caía el dinero, durante el oficio está abierta, pero el clérigo, que teme sea saqueada, tiene los ojos bien *a b i e r t o s* y no la pierde de vista; el vino de ofrenda está metido en el arcaz; el clérigo encerraba hasta su mezquidad (*"por esconder su mezquindad"*); en la *extrema unción* a los enfermos, Lázaro pide al Señor que se los *"lleve de aqueste mundo"* (=fuera) para que él pueda estar *dentro*, porque allí [*i.e.* e n l o s m o r t u o r i o s] *"comiamos bien y me hartaua"*; el calderero, que entra y sale, encuentra, entre sus muchas llaves, una que servirá para abrir el arcaz; durante un breve período, la acción girará en torno al 'abrir y cerrar' con la llave; el clérigo desea abrir y entrar en el *misterio*[28] de la

---

26 "que toda la lazeria del mundo estaua encerrada en este" (tr. II).

27 Ya el empleo de *"falsopecto"* es importante. Cf. la n. 5 de Cejador, *o.c.*, en la p. 112; y J. Corominas, *Diccionario Crítico Etimológico* (Madrid, 1954), t. I, p. 381b *s.v.* "b a l s o p e t o".

28 Téngase en cuenta que los *"ratones"*, que han sido forjados (= *sacados*) por la fantasía, salían y entraban; que el clérigo echaba el pan en el *arcaz*, mas no lo veía salir; que los vecinos *s a c a r o n d e l p a s a d o* la *"culebra"* y ésta entraba y salía, pero el clérigo ignoraba dónde estaba, etc.

insólita desaparición de los panes; por fin *lo* descubre (=entra); la llave que estaba en la boca de Lázaro sale afuera, como sale la sangre de la cabeza del mozo y como es sacado por el clérigo de la casa, quien cierra la *puerta* a la vez que se cierra el tratado.

En el tratado tercero, el 'entrar-salir', 'cerrar-abrir', 'dentro-fuera', 'meter-sacar', decrece en violencia; se atenúa el esfuerzo; las mañas, entonces, cambian de campo de acción; la *llave* de la casa (que es un objeto muy importante en toda la obra) pasa de una mano a otra: del escudero al mozo y de éste a aquél; cuando se cierra la puerta del *"por Dios"* [*i.e.* p e d i r l i m o s n a] por la ley del ayuntamiento de Toledo, se abre la de las bondadosas vecinas; el *jarro,*[29] aunque es para agua (luego será para vino), pertenece a los dos. Notamos, pues, que los procedimientos habituales en Lázaro (entrar, sacar o abrir lo que está cerrado) son externos a la relación 'criado-amo';[30] los pedazos de pan que comparte con su amo son de los de *"por Dios"*; pide limosna en las calles de Toledo con la misma *maña* que usaba para con sus amos ante-

29 ¿Contraste y recuerdo, a la vez, con el "jarrillo de vino" del tra. I?

30 Cansado de esperar a su amo y por haber pasado la hora de comer, sale a pedir limosna y emplea todas las mañas aprendidas con el ciego:

> con baxa y enferma voz e inclinadas mis manos en los senos, puesto Dios ante mis ojos y la lengua en su nombre, comienzo a pedir pan por las puertas, [. . .] tan buena maña me di, que, antes que el relox diesse las quatro, yo ya tenia otras tantas libras de pan ensiladas en el cuerpo y mas de otras dos en las mangas y senos. (tr. III, p. 129 *s*).

La postura y gesto que hemos visto es, con muy pequeñas variantes, la única que aparece en el Lazarillo. Cf. la escena del buldero, en el tr. V, y algunos momentos del ciego, en el tr. I.

riores; abre la *bolsilla* del escudero mucho más por curiosidad que por interés; pero comienza otro 'abrir', otro 'dentro', otro 'entrar': se abren los sentimientos de Lázaro ante la *encerrada* hambre del escudero; el escudero abre su vida y Lázaro la deja entrar en su corazón; el miedo (=dentro) ante el espectáculo del entierro (el muerto está encerrado, metido, dentro de la caja) es abierto (sacado, echado fuera) por la risa y la explicación del escudero; la casa queda cerrada para Lázaro y tratan de *encerrarlo* por orden de la ley, pero las vecinas lo sacan del aprieto y lo conducen hacia el fraile de la Merced, que ya es parte del otro tratado; es decir, las *mugercillas* lo sacan del tratado tercero y lo meten en el cuarto: un personaje del episodio anterior facilita el paso al inmediato. Es una *l l a v e* literaria para los siguientes tratados.

Son tan dominantes las parejas indicadas, que los tres primeros tratados se abren y cierran de suyo; esto es, con sus propios recursos. En cambio, los elementos finales del tratado tercero se ligan abiertamente con el cuarto, y así acontece con los sucesivos capítulos.[31]

---

31 La pareja 'd e n t r o - f u e r a', así como las otras, podría formularse así:

1) *A* contra *B* / o, *B* contra *A* } = elementos hostiles e irreductibles;

2) de *A* a *B*, / de *B* a *A'*, / etc. } = elementos sucesivos, del uno se pasa al otro;

3) *A* y *B* / o, *B* y *A* } = equilibrio de contrarios

Se nos hace patente que la pareja 'dentro-fuera' (y los otros conjuntos señalados) está construida por elementos contrarios, antitéticos, en los dos primeros tratados; se atenúa y verifica un cambio en el tercero, al trasladar la nececidad de *v i v i r* a necesidad de *conocer;*[32] desde el cuarto al séptimo, los dos elementos se hacen sucesivos y alternantes: se pasa del uno al otro, amén de ocurrir —cuando se presentan con fuerza y violencia de contrarios— en los *otros* y no en el vivir de Lázaro; decrece el uso de los vocablos referidos a las parejas; en el séptimo se *copulan* y concurren en un mismo lugar y tiempo, y dentro de una misma acción. Es decir, se entra en la normalidad del 'dentro-fuera', según el espíritu de Lázaro entiende esa *normalidad.*[33]

Todo ello nos lleva a *l a s t r e s m a n e r a s d e l L a z a r i l l o:* (1) la sosegada (conformada por los estallidos que producen las antítesis), con variación en el tercer tratado, ya que se reduce la argucia de Lázaro en lo que atañe a *entrar* en los objetos cerrados, *abrirlos* y *sacar* lo que necesita para su sustento; pero se afila en lo tocante a *e n t r a r e n l a v i-*

32 Un indicio, muy expresivo, es el que nos da Lázaro al comienzo del tr. III: "*se me cerro la herida*". No hay duda que se trata de una herida real, pues fue resultado del golpe que le dio el clérigo; pero, ¿no es curioso el hecho de que hable de 'c e r r a r s e u n a h e r i d a' y, en verdad, ya no tenga más y en el tr. III se nos haga patente la intensa relación afectiva con el escudero? ¿No habrá un cambio p s í q u i c o que se resiste a permanecer callado y se manifiesta, como anticipo significativo, mucho antes de introducirnos en el mundo del tratado tercero? Véase también cap. VII, p. 94 *s.*

33 Está tan echado fuera de sí, al describirse, que se *v e* importante, como si estuviera ante un espejo. No tiene duda que la expresión con que lo dice pertenece a la lengua de la conversación: "Si Lázaro de Tormes no entiende en ello, hazen cuenta de no sacar provecho". Cf. lo que digo respecto de la 'objetivación' en la p. 64 *ss.*

d a í n t i m a de su amo y de ahí el tremendo choque interior en el alma de Lázaro, que se trueca en compasión y afecto; (2) la *ligera,* que es engendrada por la *sucesión* y rápida alternancia que conduce de dentro a fuera o de fuera a dentro, y así hasta el capítulo séptimo; por ello, desaparecen los detalles, ya no existe antítesis que los forje y desarrolle ni hay necesidad de usar las palabras que las expresen; y (3) la *mixta,* en el tratado séptimo, donde se combinan ambas *maneras;* de momento las parejas antagónicas están a punto de manifestarse, con sus elementos en lucha: los *otros* entran en su vida privada y le *abren* la duda respecto de su mujer; de ahí la brusca y dolorosa —si bien irónica— expresión: *"diciendo no se qué y si se qué"*; pero, de pronto, esas parejas antitéticas son detenidas por medio de parejas *sucesivas* y alternantes:

> que yo holgaua y auia por bien de
> que ella *entrasse y saliesse* de noche
> y de dia.

Y traslada el 'dentro-fuera' a un campo de gran extensión:

> que yo jurare sobre *la hostia consagrada* que es tan buena muger como
> viue *dentro de las puertas de Toledo.*

Despierta expectación el ambiente que se produce: los otros (el 'f u e r a') quieren entrar, abrir, meterse, *en la vida* de Lázaro y éste quiere cerrar, estar dentro *de su vida.* Es así como sabemos del pensar y del decir de Lázaro (=dentro), por el pensar y el decir de los otros (=fuera), y todo ello trasmitido por Lazarillo que abarca, con su *comunicar*, los dos elementos y, por ende, el equilibrio interno-externo del último tratado.[33a]

Llegado a este punto, se provoca un gran silencio que se denuncia con la frase,

> Desta manera no me dizen nada y yo tengo paz en mi casa.

Es decir, silencio de *todo lo mío* para que se oiga, con su particular callar, lo que merece ser oído: el esplendor de la nación, encabezada por su Emperador:

> Esto fue el mesmo año que nuestro victorioso[34] emperador de esta insigne ciudad de Toledo *entró* y tuuo en ella cortes y se hicieron grandes regocijos, como vuestra merced aura oydo.

Y bajo ese amparo y cobijo (el 'entrar imperial'), oír de nuevo la voz de Lázaro, por última vez,

> pues en este tiempo estaua en [=d e n t r o] mi prosperidad y en la cumbre de toda buena fortuna.

Ya todo está *dentro* y *fuera, cerrado* y *abierto, metido* y *sacado*, como corresponde —*mens Lazaria-*

33a Para 'interno-externo' véase lo que digo en mi artículo ya citado, *PMLA*, LXXVII: «Entiendo, hasta un cierto punto, lo 'interno-externo' del modo que lo expresa y usa W. Worringer en su libro *Formprobleme der Gotik* (München, 1911), cuando se refiere a la *psicología del estilo; i.e.* aparece ésta tan pronto desaparece la dualidad de lo 'interno-externo'». p. 462, n. 14

34 *"invicto emperador"* de las ediciones *B* y *An*, lo corrige Julio Cejador, de acuerdo con *A*, en *"victorioso emperador"*. Véase también A. Cavaliere, *op. cit.*

na— a la vida de un hombre. Y Lázaro mira al pasado *(fortuna, peligros y adversidades)* desde la cumbre de su *b u e n a f o r t u n a.* Todo esto explica la forma autobiográfica que es, en sí, un abrirse, un salir, un estar fuera, desde el *dentro* que no quería *enterrarse en la sepultura del olvido,* de que nos habló en el prólogo.

A manera de conclusión

Las anteriores interpretaciones quieren probar que hay *t r e s f o r m a s* de elaboración y no *d o s,* como se había creído.

Cada indagación, de las tres que he hecho, apuntan de suyo al mismo resultado. Sin embargo, los *caminos* han sido diferentes y diversos los objetos interpretados. Es así como las tres exposiciones no se pueden contradecir; antes bien, se integran.

Por lo que atañe a que son *"f o r m a s d i s t i n t a s* de elaboración", reparo que significa más bien un punto de vista de lector que un dato concreto dentro del propio *Lazarillo.* Por el contrario, son *t r e s f o r m a s s u c e s i v a s d e e l a b o r a c i ó n,*[34a] cuidadosamente escalonadas por el artístico espíritu del autor: responden al *estilo* que se había impuesto y *lo* mantiene hasta el fin de la obra.[35]

34a Aunque quede clara la idea de lo que quiero expresar, me parece oportuno advertir que entiendo por '*formas sucesivas*' algo semejante a lo que dice André Martinet en sus *Éléments de Linguistique Générale* (Paris, 1960); en especial, las pp. 17 a 49.

35 No descuidemos, ahora, las palabras del prólogo:

> Y pues V.M. escriue se le escriua y relate el caso muy por extenso, *paresciome no tomalle por el medio* (¿d e s d e e l t r a t a d o c u a r t o?)

Y cuando se afirma que el tratado IV, parte del V, el VI y el comienzo del VII, son "meros bocetos" o 'esbozos iniciales' —como quieren algunos estudiosos—, me parece que se intenta aplicar al *Lazarillo* un molde externo, que pertenece a nuestros hábitos culturales de lo que *debe ser* una novela más bien que comprender lo que *La Vida del Lazarillo de Tormes* es de suyo.

¿No le asignaremos a la *obra*, acaso, r a s g o s y características que corresponden a nuestro particular y moderno punto de vista? ¿Por qué no querer admitir que la obra fue hecha (=elaborada) *así* y no de otro modo?

Si nos ponemos a e n f r e n t a r los diversos tratados (dándole validez de tratado *cumplido* o *acabado* a algunos y negándosela a otros, porque no reúnen

---

sino del principio (¿p o r q u e a l l í e m p i e z a l a r a z ó n d e l o e x t e n s o?), porque *se tenga entera noticia de mi* persona (¿p o r q u e a s í e s c ó m o s e c o m p r e n d e s u h o y y s e e x p l i c a?).

He colocado entre paréntesis lo que a mi parecer explica ese '*hablar* (puesto en cursiva) *que habla desde lo hablado*'. No puedo dejar de señalar que este concepto me viene (así lo creo)por influjo de la lectura de *Sein und Zeit* (Tübingen 1949) del Prof Martin Heidegger, en especial el texto que dice "In jeder Rede liegt ein G e r e d e t e s als solches, das im jeweiligen Wünschen, Frage, Sichaussprechen über . . . Gesagte als solches. In diessem teilt sich die Rede mit". p. 162. Tres años de experiencia (en clases y seminarios) con mis alumnos de la Universidad de San Carlos de Guatemala, en torno al '*hablar que habla desde lo hablado*', me han proporcionado importantes datos, tanto teóricos como prácticos, que reservo para otra ocasión. Y no extrañaría que también tuviese algún contacto con T. S. Eliot (*Selected Essays*, New York, 1950; pero el ensayo "Tradition and the Individual Talent", de donde saco el trozo que sigue, es de 1919): «Honest criticism and sensitive appreciation are directed *not upon the poet but upon the poetry*». p. 7. El subrayado es mío.

Véase también el importante estudio del Prof. Alexander Gelley, "Staiger, Heidegger, and the Task of Criticism", *MLQ*, XXIII (1962), pp. 195-216, y la bibliografía que allí se cita.

esa condición subjetiva y caprichosamente adoptada), no extrañaremos que muchos de ellos nos parezcan, irremediablemente, *bocetos, esbozos* o *proyectos* detenidos. Pero cabe preguntarse: ¿por qué compararlos? ¿Por qué no *s e g u i r l o s* tal y como son?

El criterio comparativo (un espejismo, ya que es ajeno al sentido interno del *Lazarillo*) nos empuja a distinguir, violentamente, que unos tratados han sido mejor *logrados* que otros.[36] Pero si nos dejamos llevar por el *espíritu de sucesión*[37] que alimenta la obra toda, notamos que semejante criterio es engañoso y, en consecuencia, lo serán también sus resultados.[38]

Que cada tratado tiene su particular *espíritu*, es justo decirlo. Mas también urge advertir que todos unidos —en sucesión— se encaminan, gobernados por un interés superior, a su adecuado *fin*. Una vez que la figura de Lázaro ha sido trazada, con su peculiar manera de ser (que la sentimos en sucesión) en los tres primeros tratados, el narrador —'Y o L á z a r o'— deja en libertad la fantasía[39] del lector (de pasiva se convierte en activa y creadora) hasta el momento del tratado séptimo, en que nos habla de su *asien-*

---

36 Véanse las notas 1, 3 y 5 de este capítulo.

37 Cf. André Martinet, ya citado en la nota 34a.

38 Compárese esto con lo que digo en los capítulos IX y X.

39 Aquí podríamos aplicar, sin ningún temor, lo que tan sabiamente dice el Prof. Ulrich Leo, en su excelente estudio sobre una parte del *Poema del Cid:* "Al lector, por lo tanto, le corresponde suplir, con su propia intuición *secundariamente creadora*, la motivación psíquica que en el caso de los Infantes ha dejado el poeta en el substrato de su cuento, *sugiriéndola más que presentándola*". En *NRFH*, XIII, p. 294. El subrayado es mío.

to: una vez ahí, la sofrena (por un lado) y la suelta (por otro). Todo nos parece *nuevo*, aunque en verdad esa *novedad* está forjada por los elementos de los capítulos anteriores y amparada por la fantasía (libre y sujeta a la vez) del lector: porque "el comienzo *contenía* ya escondido el fin".[40] Por eso, cada vez que el narrador nos da una sencilla *nota*[41] (como ocurre en el tratado IV, en el VI y en los comienzos del VII), ya es dato suficiente para que nuestra fantasía de lector *vea* (*ver* interior) lo que debió ser 'a q u e l l o'.

Tengo para mí, por todo lo dicho, que el autor nos pone al descubierto las características de su *a r t e* y el *f i n* que se había impuesto desde el comienzo de la obra. Que lo hiciese así, y no de otro modo, no es —desde ningún punto de vista— un defecto, como se ha querido demostrar por algunos estudiosos. Y que tal *t é c n i c a* no haya sido imitada por otros, al pie de la letra, no explica que no *lo* fuese.

---

40 Palabras de Martin Heidegger, en su obra *Holzwege*, aunque me he permitido alterar el tiempo verbal. Utilizo la traducción de J. Rovira Armengol, quien le da el título español de *Sendas Perdidas* (Buenos Aires, 1960). El trozo de Heidegger dice así: "El genuino comienzo es como salto, *siempre un salto anticipado en que todo lo venidero se ha rebasado ya, aunque de modo encubierto.* El comienzo contiene ya escondido el fin. Desde luego, el genuino comienzo no tiene nunca lo incipiente de lo primitivo". p. 62. Aunque me aprovecho de una frase de Heidegger —como también lo hago en otro lugar, n. 31— no me olvido (lo advierto con el fin de evitar equívocos suspicaces) de la idea dominante en Emil Staiger y tan acertadamente resumida por el Prof. A. Gelley y que tengo presente en todo mi estudio: "As might be expected, Staiger is a fervent advocate of *the autonomy of literary criticism*", *art. cit.* p. 198. El subrayado en un texto y otro es mío.

41 Las notas, tan sencillas, con las cuales traza rápidamente un tratado, son incitantemente sugeridoras y traen a la memoria del lector los elementos de los tratados anteriores.

Las indagaciones hechas me descubren, además —lo que es muy importante—, que la obra tiene su adecuado fin o conclusión. Por lo tanto, no podía tener *continuadores*, aunque no haya faltado el atrevimiento de continuarla. ¡Así son las segundas partes o continuaciones![42]

---

42 Un estudio sobre las 'acciones simultáneas' en todo el *Lazarillo* (material recogido que reservo para otra ocasión y con otros fines) me hubiese llevado a las mismas conclusiones y como un vivo paralelo con el 'ser y parecer' que desarrollo en el cap. IX; y también el empleo del 'acusativo interno' (tal y como se presenta en los primeros tratados y sus variantes en los cuatro últimos), que ofrece un interés documental para el estudio de sintaxis-estilística en el *Lazarillo*, en relación —muy estrecha— con algunas construcciones del latín literario y, en especial, del latín medieval. Pero mi trabajo, por ahora, no debe rebasar los límites que me he impuesto: ser unas *observaciones* sobre el *Lazarillo*.

IX. SER Y PARECER EN EL LAZARILLO

En el mundo del *Lazarillo*, las personas, las cosas y los hechos (reales, imaginarios, recordados) son, están y acontecen de una manera precisa. Sin embargo, en determinadas circunstancias experimentan una intensa y profunda perturbación: el "p a r e c e r" del narrador,[1] o de un personaje,[2] o el que un objeto deja ver respecto de otro,[3] es la causa del trastorno. Por eso, personas, cosas y hechos, en el *Lazarillo*, están siempre en peligro de presentar varios semblantes: el que *tienen* y los que *parece* que tienen. El *parecer*, a veces, saca a alguna persona o cosa de su estado y también traslada una vida de un lugar a otro, con lo

1 "Y *paresciome* lo mas seguro metella de noche en la boca", tr. II.

2 "*Paresciendole* a mi amo que no era la ganancia a su contento, determino yrse de alli", tr. I.

3 "... *parescia* casa encantada", tr. III.

que se consigue vivísimos movimientos argumentales y artísticos cambios de situación.[4]

Lo oímos por primera vez —si bien lo cuenta Lázaro— de boca del ciego,

> En este tiempo vino a posar al meson vn ciego, el qual, *paresciendole que yo seria para adestralle,* me pidio a mi madre y ella me encomendo a el...
>
> (Tr. I)

Por causa de este *parecer* cambiará la vida de Lázaro: sacado de *su* mundo será llevado al *del* ciego,

> Como estuuimos en Salamanca algunos dias, *paresciendole a mi amo que no era* la ganancia a su contento, determino yrse de alli [...]; yo fuy a ver a mi madre...

La madre despide al hijo y éste regresa con su *"nuevo e viejo amo"*. Todavía no han salido de la ciudad —están en los límites de entrada y salida—, cuando le ocurre la *"calabaçada en el diablo del toro"* por medio del engaño del ciego.[5] El mozo recuerda el dolor y también recuerda su reflexión de entonces,

---

4 Ya en el prólogo, donde sólo una vez encontramos "parecer", se nos dice: "*paresciome* no tomalle por el medio, sino del principio, porque se tenga entera noticia de mi persona". El "parecer" produce un cambio, por lo que toca a su persona. Cf. con lo que digo en la p. 130, n. 35.

5 "Salimos de Salamanca y, llegando a la puente, esta a la entrada della vn animal de piedra que casi tiene forma de toro, y el ciego mandome que llegasse cerca del animal e, alli puesto, me dixo: «Lazaro, llega el oydo a este toro e oyras gran ruydo dentro dél». Yo simplemente llegue, creyendo

> *parescióme que en aquel instante* desperte de la simpleza en que como niño dormido estaua.

Aquí y ahora, en este preciso momento, nace el personal *parecer* de que carecía, como nace la distancia que es imprescindible guardar en las relaciones 'criado-amo'. Desde este nuevo punto de vista, la pareja 'criado-amo' está sacudida en sus más profundas raíces.

Conviene señalar (junto al *parecer* del ciego y al de Lázaro, que hemos puesto de manifiesto) la presencia de un grupo de curiosos símbolos que no creo que su hacinamiento sea sólo casual: (1) el *puente*, que simboliza el paso de un estado a otro; (2) el *toro*, que (aunque implica poder) es signo de traslado desde esto hasta aquello; (3) la *mano*, símbolo romano del *pater familias* (no olvidemos que el ciego advirtió que lo recibía no *"por moço sino por hijo"*); (4) el *niño*, signo de 'futuro' de cara a *anciano* (el ciego) que significa 'pasado'; (5) el *ojo*, integración en lo *uno* y, por lo tanto, opuesto a lo demoníaco que representa de suyo muchos ojos (recuérdese que el ciego le exigía saber *"vn punto . . . mas que el diablo"*); y, si admitimos la tesis de C. G. Jung, [6] es también el *"seno materno"*, el cobijo que ya no tiene; es decir, el recuerdo inmediato de la madre,[7] y por eso

---

ser ansi. Y, como sintio que tenía la cabeça par de la piedra, afirmo rezio la mano y diome vna gran calabaçada en el diablo del toro, que mas de tres dias me duro el dolor de la cornada . . ."

6 C. G. Jung, *Symbols of Transformation* (New York, 1958), y Juan Eduardo Cirlot, *Diccionario de símbolos tradicionales* (Barcelona, 1958), p. 324.

7 No trato de ir más lejos de lo que simplemente señalo con los símbolos enumerados; pero me ha parecido oportuno ponerlos de manifiesto —como haré en otros casos— por si algún estudioso de símbolos los encuentra de interés para sus investigaciones.

> Verdad dize este [*i.e.* el ciego] que me cumple abiuar el ojo y auisar, pues solo soy, y pensar como me sepa valer.

Con todo, avancemos por la senda del *parecer.* En la escena del jarro de vino, al sentir el inesperado golpe sobre su cara, Lázaro dice,

> ... *me parescio que* el cielo, con todo lo que en el ay, me auia caydo encima.[8]

Y el ciego, por su parte, pone en juego las tremendas posibilidades del *parecer,* al tiempo que le cura las heridas,

> "*Que te parece,* Lázaro? Lo que te enfermo te sana y da salud".

Esta antitética condición ('gozar-enfermar-sanar') pone al descubierto las diferentes caras que esconden las cosas, aparte de lo que la cosa (el *vino*) es de suyo. Quizá, a partir de este momento, comprende Lázaro que personas, cosas y hechos pueden tener muchos aspectos escondidos y, además, inesperados.

---

8 Véase cap. IV, p. 60 *s.* ¿No será esta la razón de que Lázaro esté tan preocupado por el 'venirse abajo' algo o el 'hundirse', que aparece varias veces: tr. III, "juntoseme el cielo con la tierra"; tr. V, "este pulpito se hunda conmigo"; tr. III, "estuue en poco de caer de mi estado"; tr. VII, "que yo pense que la casa se hundiera"?

Al final del tratado, el mozo ya tiene preparado su *"aparejo"*;[9] pero el ciego —más cegado que nunca— ignora el golpe que le espera. Todo el desenlace depende de un *parecer* decisivo, que ha de dar un salto, desde su particular intención, hasta el mundo interior del ciego y, una vez allí, convertirse en *'c r e e r'*,

> *Pareciole* [al ciego] buen consejo y dixo:
> "—Discreto eres, por eso te quiero bien..."

Es decir, el *parecer* de Lázaro va a servir de cierre al tratado y al rompimiento definitivo de la pareja 'Lázaro-ciego',[10] como el *parecer* del ciego sirvió anteriormente para darle comienzo.

No puedo dejar de llamar la atención del lector sobre la presencia de la *"l l u v i a"*, en el desenlace de este primer tratado.[11] Es sabido que para muchos estudiosos la 'lluvia' es símbolo de fertilización de la vida y dicen que esto va de suyo, ya que la lluvia "p r o v i e n e d e l c i e l o". Es muy curioso

---

9 "Yo que vi el aparejo a mi desseo, sequele debaxo de los portales e lleuelo derecho de vn pilar o poste de piedra, que en la plaça estaua, sobre el cual y sobre otros cargauan saledizos de aquellas casas . . ."

10 "«¡Sus! salta todo lo que podays, porque deys deste cabo del agua». Aun apenas lo auia acabado de dezir, quando se abalança el pobre ciego como cabron y de toda su fuerça arremete, tomando vn passo atras de la corrida para hazer mayor salto, y da con la cabeça en el poste, que sono tan rezio como si diera con una gran calabaça, e cayo luego para atras, medio muerto y hendida la cabeça".

11 "Como llouia rezio y el triste se mojaua e con la priessa que lleuauamos de salir del agua, que encima de nos caya, *y lo mas principal*, porque Dios le cego aquella hora el entendimiento . . ."

que aparezca aquí la 'lluvia'[12] (de acuerdo con la interpretación señalada) y que Lázaro diga:

> ...y lo más principal, *porque Dios le cego aquella hora el entendimiento (fue por darme del venganza), creyose de mi.*[13]

El tratado segundo es rico[14] y variado en el uso del *parecer*,[15] tanto del lado de Lázaro como del lado del amo y del de los vecinos. Esta es la razón de que concluya con la tremenda afirmación del clérigo, afirmación que tiene apoyo en el entorno *gestual* que lo envuelve y da fin,

> "—No es possible sino que ayas sido moço de ciego".
> E santiguandose de mi, como si yo estuuiera endemoniado, se torna a meter en casa y cierra su puerta.

Aunque es un *parecer* respecto de Lázaro, coincide con la realidad [*i.e.* haber sido mozo de ciego] y

12 Es elemento principal de la ruptura 'mozo-ciego' y de la venganza *circular* (como creo que diría el Profesor M. Bataillon), ya que será una *calabaçada* y el muchacho lo espera *"como tope de toro"*; objetos que estuvieron presentes cuando la escena del puente.

13 René Guenon, *Il Re del Mondo* (Roma, 1950), y Juan Eduardo Cirlot, *Diccionario de Símbolos Tradicionales*, p. 277.

14 He aquí algunos ejemplos en el tratado II: "otro dia, no paresciendome estar alli seguro..."; "que me paresce a mi que, aunque dello no me aprouechara..."; "paresciome que el hambre no se me osaua allegar"; "paresciome con lo que dixo pasarme el coraçon con saeta de montero..."; "Paresciamos tener a destajo la tela de Penelope..."; "y paresciome lo mas seguro metella de noche en la boca"; "ser el siluo de la culebra y *cierto le deuia parescer*", etc.

15 Véase lo que digo en el cap. IV, p. 65 *ss*.

el espíritu de Lázaro debió sentir un fuerte sobresalto. Aquí no hay varias caras, sino sólo una, la única: se asienta con el 'ser' y se interrumpen todas las posibilidades de lo inesperado, aunque el juicio del clérigo *s e a* inesperado de suyo; a saber, se cierra el tratado de las 'transformaciones'. El lector (y el autor que lo forja) comprende el momento efectivo de lo simple, de lo seguro, de cara a un mundo de transfiguraciones que tiene que concluir y descansar para siempre. No en balde entran en acción varios elementos y recuerdos del tratado primero,

> "que el moço del ciego, vn punto ha
> de saber mas que el diablo"
>
> (Tr. I)

El mozo, desde el punto de vista del clérigo, debía tener muchos ojos (como el diablo) y no dos, como los hombres (recuérdese lo que dije antes), por eso se santigua. Y además, el clérigo *("el bruxo de mi amo")* ha sido aventajado en 'un punto', si bien después destruirá el *maleficio,* porque Lázaro se descuidó precisamente en ese *p u n t o.*

Observemos una circunstancia en que el *parecer* es destruido intencionadamente. Al describir al clérigo, en la primera página del tratado, dice:

> Escape del trueno y di en el relampago. Porque era el ciego para con este [*i.e.* e l c l é r i g o], vn Alexandre Magno, con ser la mesma avaricia [a q u é l], como he contado. No digo mas, *sino que toda la*

> *lazeria del mundo estaua encerrada en este.* No se si de su cosecha, o lo auia anexado con el abito de clerezia.
>
> (Tr. II)

El *parecer* queda manifiesto en las irónicas comparaciones que se suceden, llenas de viva intensidad. De pronto, rompe enérgicamente el hilván comparativo (*"No digo mas"*) y lanza una hiperbólica afirmación de valor universal (*"sino que toda la lazeria del mundo ..."*), cuando lo que esperábamos era: *'sino que parescia que toda la lazeria del mundo ...'* Aquí no le interesa el *parecer*, por eso lo excluye, lo ahoga; con lo cual consigue sacar de quicio al personaje y mostrarlo tal y como lo desea: de un solo trazo;[16] así como el clérigo *historía* a Lázaro, al final del tratado, también de un golpe. Con esta definición —podemos llamarla así—, queda insinuada la vida entera del tratado: la astucia y maña de Lázaro, que han de subir "un punto" más de lo acostumbrado, y el desenlace, resuelto por el clérigo, que hace bajar ese "punto", a fin de no equivocar ni alterar el centro mismo de la definición (y no del *parecer*, que está oculto).

En cambio, al mostrar al escudero —a quien quiere bien—, lo aloja en el *parecer*,

---

16 ¿No hay aquí algo de lo que Dante hace con sus enemigos en *Inferno*?

> *me parescia*, segun su abito y continente, *ser el que yo auia menester.*[17]
>
> (Tr. III)

Y actúa, a través de todo el tratado tercero, con decidido afecto. No exhibe aristas extremadas o cortantes, aunque a veces le hagan llorar, y trata de r e c o n c i l i a r lo que se había roto en el tratado primero, cuando lo del toro: la relación 'criado-amo'. El *parecer-destructor* se muda, ahora, en *parecer-colaborador* y casi sentimental.

El *parecer* de este tratado (por su intensa fuerza psíquico-afectiva) es también hacedor de fantasías; claro está, fantasías *a la manera* de Lazarillo,

> finalmente ella *parescia* casa *encantada.*

* *

> te hace *parescer* la mia [*i.e.* h a m b r e] *hermosa.* Con todo *pareciome* ayudarle pues se ayudaua.[18]

Así nos explicamos que, al terminar el capítulo, cuando la realidad se le descubre con toda su terrible

---

17 Notemos cómo el p a r e c e r, en este momento, casi se confunde con el s e r, o intenta confundirse: "*me parescia . . . ser el que . . .*". Es de advertir el empleo frecuente del verbo "*menester*".

18 He aquí algunos ejemplos: "No parescia colchon, aunque seruia dél, con harta menos lana que era menester . . ."; "quien no lo conosciera pensara ser muy cercano pariente del Conde Alarcos"; etc.

fuerza y la fantasía ha desaparecido (expulsada por los embates de *esa* realidad), exclame,

> Assi, como he contado, me dexo mi pobre tercero amo do acabe de conoscer mi ruyn dicha. Pues señalandose todo lo que podia contra mi, hazia mis negocios tan al reues, que los amos que suelen ser dexados de los moços en mi no fuesse ansi, mas que mi amo me dexase e huyesse de mi.

El *parecer* ha sido quebrado en mil pedazos. Lázaro está solo. Ni siquiera le queda una brizna de rencor, odio o desdén, en el alma, para con el escudero. Por eso, culpa a la *"ruyn dicha"* y, en cambio, recoge en apretado y posesivo abrazo al escudero.

> Assi, como he contado [*i.e.* 'no de otra manera, sino así'] me dexo *mi pobre* tercero amo...

¿Extrañaremos que en el tratado VI lo tome como modelo?

En el tratado cuarto, el *parecer* queda circunscrito por el pensar (*"que pienso* que rompia el mas çapatos que todo el convento"), actitud que coincide —por su forma cerrada— con el *callar* de que habla Lázaro,

> Y por esto y por otras cosillas, *que no digo*, sali dél.

No quiere abrir el abanico del *parecer;* deja que lo abra la mente del lector, con apoyo en los rapidísimos datos, cuidadosamente insinuados, *("enemigo del coro... / perdido por andar fuera / amicissimo de negocios seglares...")* y en el 'n o - q u e r e r' decir *otras cosillas.* El 'yo-narrante' ha cambiado de lugar: sus ojos están abiertos ante el mundo. El lector tendrá que poner, desde este momento, mucho de su parte, pues está ya preparado para ello. Es la *hora del lector.*[19]

En el quinto, comienza un nuevo movimiento del *parecer,* llevado al límite. Es bastante difícil, por ejemplo, asir al buldero, aunque da la impresión de estar hecho de un trazo,

> fue un buldero, el mas desenuelto y
> desuergonçado y el mayor echador
> dellas que jamas yo vi ni ver espero
> ni pienso que nadie vio.

Primero, lo encaja en la clase, en el oficio; oficio que evoca, por su nombrar, el de los otros amos ("*en el quinto* que fue vn buldero") ; luego, lo aísla de los de su clase por medio de tres superlativos, encadenados polisindéticamente, que sirven para 'formarlo-deformarlo', en magnitud y de manera *circular,* ya que emplea una nota deíctica *("echador d e l l a s")* sobre algo que no ha nombrado, pero que se desgaja de la significación de "buldero" ; después, lo sitúa en el tiempo de *su* ver *("que jamas vi ni ver espero")* y, no contento con ello, lo extiende al 'n o - v e r' de los demás

19 Como titula José Ma. Castellet a su libro, *La Hora del Lector* (Barcelona, 1959). Véase también nuestra p. 132 y n. 39.

("ni pienso que nadie vio"), para lo cual ha usado el mismo procedimiento, la polisíndesis, pero en recorrido negativo. El espíritu del lector ve, con sus ojos interiores,[20] un ser fantástico.

¿Intentará el autor, con este proceso 'ascendente-descendente', desasirse de la posible fuente del *Novellino*[21] y tratar que se borre el recuerdo de la mente de aquel lector que pudiese tenerla en cuenta, o será que intenta difuminar algún parecido?[22]

Sin perder tiempo, desciende a las acciones del buldero, con el fin de encajarlo adecuadamente dentro de la realidad que va construyendo. Sus ojos de observador (el 'yo-observador') le descubren el *parecer* y el *ser*,

> [e l b u l d e r o] haziase entre ellos [*i.e.* l o s r e u e r e n d o s] un Santo Tomas y hablaua dos horas en latin. *A lo menos que lo parescia; aunque no lo era.*

---

20 No creo que ataque las *bulas*, sino al buldero. Por todo ello, mi parecer es que la fórmula —si puedo así llamarla— quedaría expresada de este modo:

'b u l d e r o - [b u l a]'

Lo que resalta es el 'hombre-buldero': este hombre, no la bula. ¿No pertenece este procedimiento al de la sátira medieval respecto del 'v i v i r m a l' de los religiosos o de aquellos que tienen algo que ver con la religión? Cf. lo que dije en el cap. I, p. 24 *s.* y n. 6 y lo que dice M. Bataillon en su *Erasmo y España*, t. I, p. 211 *ss.*

21 Cf. lo que digo en el cap. VIII, p. 113 y n. 11.

22 Recuérdese lo que dije en el cap. VIII, p. 114 s. respecto de las *fuentes* y el uso que hace de ellas el autor; así como el cap. I, p. 26 *ss.*

Es decir, desbarata el entramado: por un lado, *parescia*; por otro lado, *no lo era.*[23] El *parecer* no se presenta solo, o multiplicado en otros, como antes, sino acompañado de su 's e r', sobre el cual descansa. Distinguimos con exactitud las dos laderas: la *que parece* y la *que es.*

El *parecer* de este tratado representará en todo momento una máscara y siempre reconoceremos, detrás de ella, el *s e r* de las cosas, de los hombres y de las acciones. Para darle fin, Lázaro realiza un importantísimo análisis del complejo 'parecer-ser',

> *Y crey que ansi era,* como otros muchos; mas *con ver despues* la risa y burla que mi amo y el alguazil lleuauan [. . .], *conosci como auia sido industriado* por el industrioso e inventiuo de mi amo.

El *parecer,* por un momento, se ha mudado en creer ("*y c r e y . . .* como otros muchos . . ."), por eso lo ve como ser ("crey *que ansi e r a"*). Gira sobre sí mismo y ve *("mas con v e r")* a su amo y al alguacil riendo. Este ver le delata toda la fechoría y, entonces, conoce ("*c o n o s c i* como auia sido . . ."). "*¡Quantas destas deuen hazer estos burladores!*", proclama Lázaro a los cuatro vientos. Luego, no tiene duda, el *parecer* es una *industriosa industria hecha* por los hombres con el fin de ocultar el *s e r*; pero un atento

---

23 No se olvide como dijo para con el escudero: "*me parescia . . . ser el que yo auia menester*". La oración se extiende melosamente: semeja que cada elemento se apoya en el anterior. Con el buldero, por el contrario, no tiene recato: las oraciones son cortantes, como cuchillos bien afilados.

ver puede destruir de un solo golpe todas sus apariencias y, de ahí, el *saber* y el *conocer* en cuanto al mundo.

Me atrevería a afirmar que en el espíritu del tratado hay otro *parecer,* por lo que atañe a las intenciones artísticas del autor. Quiero decir esto: durante los tres primeros tratados hemos encontrado a la *gente* al final de los episodios o al final de los capítulos: especie de *coro* que ríe por causa de lo acontecido, o discute, o grita y ríe a la vez, como en el tratado tercero. A nuestro autor le *pareció* que ya estaba en condiciones de sacar partido artístico de esa *g e n t e,* como personajes duraderos y no accidentales, e hizo su ensayo. Con tal interés, invierte el procedimiento: ahora, los personajes centrales (buldero y alguacil) son quienes ríen y la gente queda engañada. Otro rasgo que lo diferencia, en sucesión y con elementos de aquellos, de los tres primeros tratados. A pesar de la rapidez —el episodio tiende a eso—, nuestro autor demuestra saber hacer uso de las multitudes y tener capacidad para moverlas de un sitio a otro.

En el sexto, el *parecer* tiene su antecedente o modelo en el tratado tercero,

> despues que *me vi en abito de hombre de bien.*

Queda patente que el recuerdo del escudero lo lleva muy dentro, pues está muy cerca de lo que entonces dijo,

> y tambien *que me parescia, segun su abito y continente* ...
>
> (Tr. III)

Y también le urge tener una capa y una espada,[24] como las tenía el escudero. Y como éste en aquel tiempo encarecía la suya, Lázaro, ahora, hace hincapié en la procedencia: *"y vna espada de las viejas primeras de Cuellar"*.[25] El *parecer* se ha transformado en *a p a r e c e r* ante los demás, para que ahora les parezca a los otros. ¿Tendrá algo que ver (no puedo evitar decirlo) la *e s p a d a* con el símbolo[26] que representa —aparte de servir para herir y defenderse—: "un signo de libertad y fuerza", según Lázaro entiende la libertad y la fuerza?

En el séptimo (que presenta dos momentos: asiento circunstancial con un alguacil y, después, asiento definitivo), deja al alguacil *"por parescerme oficio peligroso"*. A partir de ahora, el verbo *parescer* (y sus fórmulas más vecinas) se esfuman. El *parecer* se moverá por la mente del lector, subrepticiamente. El autor está ahora en su *s a b e r*. La *visión* está limpia de obscurecimientos: ya no le *parece* que las cosas, personas o hechos *sean* esto o aquello. Está seguro. Y tan seguro, que el verbo *tener* (verbo de gran palidez en toda la obra) se hace dominante[27] y expulsa, por

---

24 "¡O si supiesses, moço, que pieça es esta! No ay marco de oro en el mundo por que yo la diesse. Mas ansi, ninguna de quantas Antonio hizo, no acerto a ponelle los azeros tan prestos como esta los tiene." Tr. III.

25 Dice J. Cejador, *o.c.*, p. 230, n. 8: "no hallo este nombre como de espadero . . ." No extrañaría que el *"de Cuellar"*, dicho por Lázaro, sea nombre inventado por atracción de la espada del escudero.

26 Juan Eduardo Cirlot, *o.c.*, p. 192.

27 "Tener descanso"; "fauor que tuue de amigos . . ."; "sino los que le tienen"; "tengo cargo"; "teniendo noticia de mi persona"; "tengo en mi señor arcipreste todo fauor y ayuda"; "no tengo por mi amigo"; "Y yo tengo paz en mi casa".

medio de descargas posesivas, cualquier posibilidad de *apariencia.* El lector (con el *parecer* en el espíritu) sonríe de ese *t e n e r.* Lázaro, sin embargo, siente la amenaza,

> diziendo *no se que y si se que* de que ven a mi muger yrle a hazer la cama y gisalle de comer...

El hecho de que el *parecer* de los otros (*"no se que y si se que..."*) esté a punto de aniquilar el o r - d e n (*apud lazarianam mentem*) que se ha procurado, impulsa a Lázaro a romperlo de un manotazo: las cosas, las personas y los hechos no pueden ni deben *parecer* esto o aquello, sino *s e r* esto o aquello. Y, con el fin de mantener el equilibrio que no quiere perder, se encastilla y sostiene en una afirmación, cargada de valientes y enérgicas decisiones,

> "Que es la cosa del mundo que yo mas quiero y la amo mas que a mi [...]. Que yo jurare sobre la hostia consagrada que es tan buena mujer como vive dentro de las puertas de Toledo. Quien otra cosa dixere [*i.e.* '*a quien otra cosa le paresciere*'], yo me matare con el";

dichas en estilo directo, para dejarse caer, una vez sosegado, en la forma narrativa,

> Desta manera no me dizen nada [*i.e.* 'n o e s c u c h o e l *p a r e s c e r* a j e n o'] y *yo tengo paz en mi casa.*

Esto es, el *parecer* ha callado para siempre: hay paz en todo lo que le entorna y concierne. No tiene duda, todo *dezir* está, a cada momento, en peligro de ser la manifestación expresiva de un *parecer*, o de unos diversos semblantes del *parecer*, y esto podría corresponder al terrible mundo que se le hizo patente —¡y de qué luminosa manera!— cuando estuvo con el buldero.[28]

El *parecer*, por siempre, se hunde en el pozo del silencio y Lázaro se cobija en el s e r del Imperio y de su Emperador: ambos —lo pequeño y lo poderoso y seguro— e s t á n en la cumbre de toda buena fortuna.

¿Que el lector tiene su particular *parecer?* Sí, de acuerdo. Pero ya no puede romper el equilibrio establecido. Sólo podrá sonreír desde lejos... allá, en el tiempo. Es lo que buscaba el autor.

El *parecer*, como hemos demostrado, ha cosido la obra entera, a manera de misterioso hilillo que cambiara de color, pero en fin de cuentas siempre es el mismo. Hilo, tan hábilmente manejado por el artista, que pasa al espíritu del lector (el *p a r e c e r* del lector), cuando la obra ha concluido y Lázaro no lo necesita, puesto que ya *es*.

---

28 Así veo el proceso:

> 'creer que era' [=parecer] ⟶ 'ver reír' [=del haber creído que era] ⟶ 'conocer y saber' [=la verdad, por el ver reír] ⟶ 'decir' [=hablar sobre *eso*].

Lázaro (es mi *parecer*) lo vería ahora del revés: y ésa es la causa de su espanto.

X. *TUYO Y MÍO EN EL LAZARILLO*

Lázaro, cuando empieza a contarnos los orígenes de su existencia, se entretiene morosamente en destacar las circunstancias que rodearon su nacimiento y las causas que dieron pie a que se le llame *Lázaro de Tormes,*

> Pues sepa V.M. ante todas cosas que a *mi* llaman Lazaro de Tormes, hijo de Thome Gonçales y de Antona Perez, naturales de Tejares, aldea de Salamanca. *Mi* nascimiento fue dentro del rio Tormes, por la qual causa *tome* el sobrenombre, y fue desta manera. *Mi* padre, que Dios perdone, tenia cargo de proueer vna molienda de vna hazeña, que esta ribera de aquel rio, en la qual fue molinero mas de quinze años. Y estando *mi* madre vna noche en la hazeña, preñada *de*

> *mi,* tomole el parto y pario*me* alli.
> De manera que con verdad *me puedo*
> dezir nascido en el rio.[1]

Si le quitamos a la anterior exposición los elementos explicativos y colaboradores que la envuelven, en seguida descubrimos que hay un 'y o' dominante, aunque se exhiba de muy distintas maneras: "[a] *mi*", "*mi* [nascimiento]", "*mi* [padre]", "[de] *mi*", "*me* puedo", etc. Es decir, el 'yo' aparece como personal o como posesivo, pero siempre sostenido en algo, ya sea cosa, acontecimiento o persona.

Sin embargo, nos urge destacar los tres datos esencialísimos que reciben apoyo en la forma posesiva,

> mi *nascimiento* . . . / mi *padre* . . . /
> mi *madre* . . . ,

que encuentran asiento en un determinado espacio (*"hazeña que esta ribera de aquel rio"*) y, además, se respaldan en el tiempo: *"en la qual fue molinero mas de quinze años"*. No tiene duda que Lázaro nos quiere instalar en aquel *su* mundo de origen y poner ante nuestros ojos *sus* pertenencias, por muy raquíticas, insignificantes o contradictorias que ellas sean. Una vez establecido el triángulo familiar, vemos acercarse un elemento exterior que lo desbarata,

---

1 Me he preguntado hartas veces si el hecho de haber *nacido dentro del río* tiene algo que ver con el simbolismo ambivalente de *río* ('fertilidad', por un lado; 'transcurso irreversible', por otro. Cf. J. E. Cirlot, *o.c.*, p. 362). mucho más que con el antecedente literario —en las novelas de caballería— que se le quiere asignar. También creo que la nominación *Lázaro de Tormes* (nombre + topónimo) debe de tener algún nexo con el procedimiento usado por algunas órdenes religiosas (Fray Luis de León, Juan de Ávila, etc.), y también cierto contacto con los nombres clásicos (Dionisio de Halicarnaso, etc.).

> achacaron a *mi* padre ciertas sangrias malhechas en los costales *de los que alli* a moler venian, por lo qual *fue preso y confesso* e *no nego y padescio* persecucion por justicia. Espero en Dios que *esta* en la gloria, pues el Euangelio los llama bienauenturados. En este tiempo se hizo cierta armada contra moros, entre los quales fue *mi* padre [...]. Y con *su* señor, como leal criado, fenescio *su* vida.

¿Causas? El padre de Lázaro ha querido transformar en 'mío' lo que era 'tuyo'; esto es, lo de ellos, lo de los otros. Al romperse el 'nosotros' (dejamos a un lado las insinuaciones que puedan desprenderse del contexto), se origina un cambio de situación humana y espacial: *mi* padre y *mi* madre se contraen en una nueva fórmula *("mi b i u d a m a d r e")*, ya que el padre, muerto en la de los Gelves, queda inserto —como una sombra— en el adjetivo *b i u d a;* de la *hazeña* se pasan a una *casilla* de la ciudad y da comienzo una nueva profesión: *"guisar de comer"* a estudiantes y *"lavar la ropa a ciertos moços de caballos"*.

Mas, si antes vimos cómo un 'tuyo' (lo de los otros) fue causa de la destrucción, al presente vemos cómo otro 'tuyo' (la llegada del Zayde) *r e c o m p o n e* el 'nosotros'

> Ella y vn hombre moreno, de aquellos que las bestias curauan, vinieron en conoscimiento [...]. Yo, al principio de su entrada, pesauame con el e auiale miedo, viendo el color y mal gesto que tenia; mas, de que vi que

> con su venida mejoraua el comer, fuyle queriendo bien, porque siempre traya pan, pedaços de carne y en el inuierno leños, a que nos calentauamos.

Con todo, la fortuna ("quiso nuestra fortuna"), voluble, como de costumbre, des-compone otra vez el 'nosotros' y todo aquello que Lázaro y los suyos habían creído de su propiedad. Nuevamente el 'tuyo' (*lo* del Comendador de la Magdalena) defiende sus fueros:

> Al triste de mi padrastro açotaron y pringaron e a mi madre pusieron pena por justicia, sobre el acostumbrado centenario, que en casa del sobredicho Comendador no entrasse ni al lastimado Zayde en la suya acogiesse.

Y se empieza con otro lugar (*"meson de la Solana"*), otro oficio (*"seruir a los que ... viuian en el meson"*) y otro estado moral (*"la triste ... por evitar peligros y quitarse de malas lenguas ... / padesciendo mil importunidades"*). En muy corto tiempo, la infancia de Lázaro ha sido sacudida varias veces en sus más recónditas raíces. '¿Qué es lo nuestro?' debía de preguntarse el pobre Lázaro. Como en una ocasión se aventuró a decir *"nuestra casa"*, se preguntará: '¿dónde está?' '¿Cuál es?' Sólo le queda *"mi* madre" y *"mi* hermanico",[2] y tan pronto

2 "Por no echar la soga tras el caldero, la triste se esforço y cumplio la sentencia. Y por evitar peligro y quitarse de malas lenguas se fue a seruir a los que al presente viuian en el meson de la Solana. E alli, padesciendo mil importunidades, se acabó de criar mi hermanico, hasta que supo andar e a mi hasta ser buen moçuelo, que yua a los huespedes por uino e candelas y por lo demas, que me mandauan".

como hemos terminado de oír esas palabras, el *'mi'* que las sostiene ya está en camino de alojarse en otro ser: "*mi* amo". Claro está, para llevar a cabo ese traslado, la madre necesita apoyarse —aunque sea sólo con vocablos— en la autoridad paterna *("era hijo de vn buen hombre")*, de quien habla y al que encomia: *"que por ensalçar la fe auia muerto en la de los Gelves"*. Y el ciego, para conferirle una a f e c t i v a f o r m a l i d a d a la entrega, recurre al trueque (¡qué poco le cuesta decirlo!): no lo recibe por mozo, sino por hijo,

> El respondio [*a m i m a d r e*] que assi lo haria y que me rescibia, no por moço, sino por hijo. Y así le comence a seruir e adestrar a *mi* nuevo e viejo amo.

He puesto entre corchetes lo que la narración esquiva *('a m i m a d r e')*, a fin de llenar de sentido el espíritu del contexto. Con toda intención lo he hecho, ya que con toda intención fue omitido, para que así veamos cómo se realiza el traslado de *'m i* m a d r e' (que no está expresado) a "*mi* nueuo e viejo amo", que se convierte en recibidor y está manifiesto.

La fuerte sacudida que experimenta el actual 'nosotros' (le viene del ajeno 'tuyo') repercute en un decisivo cambio de lugar, de oficio, de estado moral y de espíritu. Y en ese mismo instante se inaugura el mundo del *'Lá z a r o - s o l o'*, con un "*m i* [amo]" engañoso, pues el objeto que c o m - p r e n d e encierra todo lo contrario: carencia de cualquier clase de posesión y, además, el hecho de ser poseído. Las cosas —todas y sin excepción— pertenecen a *m i* a m o. Ningún objeto puede llevar adscrito el 'm i' de Lázaro y, cuando intenta hacerlo, lo consigue por medio de *"sotileza e buenas mañas"*. Pero dura poco tiempo: el avasallador 'm i' del ciego destruye y aniquila toda tentativa de posesión. A Lázaro sólo se le permite usar del 'm i' para *amo* y no para otra cosa: Si alguna vez se atreve a rebasar el límite impuesto, la desgracia (golpes, jarrazos, dientes rotos, etc.) se convierte en su única propiedad.

Mucho ha aprendido Lázaro con el ciego respecto del terrible mundo del 'tuyo' y del 'mío' y por esa razón, al dar fin al tratado, recurre —con maravilloso artificio— al rompimiento de esos injustos elementos que tanto le dieron que hacer y se les utiliza como recursos novelísticos de desenlace,[3] pues habían servido como motivos de inicio y de desarrollo: por un lado, Lázaro ve el *"aparejo a mi deseo"* (¡por fin algo le pertenece, aunque esa posesión sea la venganza!) ; por otro, el ciego *"de toda su fuerza arremete . . . y da con la cabeça en el poste"*, y se queda con lo *s u y o*.

El cambio es portador, ahora, de una extraña propiedad,

> me toparon *mis pecados* con vn clerigo [. . . .]. Finalmente [. . .], me rescibio *por suyo.*

La frase, en sentido recto, tiene una significación muy clara para el lector: 'u n o v a c o n *s u s*

---

3 He aquí unos elementos que demuestran, una vez más, el arte del autor. Aunque la escena del poste no haya sido creada por él, se la apropia y la reviste de tales características que, en verdad, podemos decir que le pertenece. Cf. cap. I, p. 28 *s.* y cap. VIII, p. 111 *ss.*

p e c a d o s a v e r a u n c l é r i g o' y no es de extrañar que, en esas condiciones, nos reciba *por suyo,* si además sabemos ayudar a misa. De pronto un revés de contrariedad,

> Escape del trueno y di en el relampago. Porque era el ciego para con este vn Alexandre Magno, con ser la mesma auaricia, como he contado. No digo mas, sino que toda la lazeria del mundo estaua encerrada en este. No se si de su cosecha era, o lo auia anexado con el abito de clerezia.

De un golpe nos aloja en el tremendo mundo del 'tuyo' y del 'mío': los *bodigos* de la iglesia, que están encerrados en un *arcaz,* pertenecen al clérigo y excitan al 'mío' de Lázaro, pero el peligroso *límite* que los separa se yergue, como espantosa sombra, con sus calladas y futuras amenazas.

Aunque las experiencias con el ciego hicieron más *sotiles* las mañas de Lázaro, el 'mi', inquieto y asustado, se agita por entre la pena, la angustia y la imposibilidad,

> para usar de *mis* mañas no tenia aparejo por *no* tener en que dalle salto.
>
> * *
>
> *mi* rabiosa y continua muerte
>
> * *
>
> *mi* quotidiana muerte
>
> * *
>
> el vn ojo tenia *en* la gente y el otro en *mis* manos.

Y así permanece[4] hasta la llegada del 'angélico calderero' *("yo creo que fue angel embiado a mi por la mano de Dios . . .")*, quien le proporciona el instrumento (=la llave) con el cual podrá entrar en el mundo y en las cosas del 'tuyo'. Es tan vehemente el goce del ilusorio 'mío' que hasta los objetos más extraños se le incorporan,

> *mi* puerta . . . / *mi* paraiso panal . . . / truxo a *mi* memoria. . . / *mi* llaue. . . / *mi* aparejo . . . / *mi* sayo . . . / hazia *mis* saltos . . . / *mis* hados . . . / *mis* pecados . . . / *mi* solicito carpintero . . .;

y, además, se entretiene con irónicos plurales abarcadores,

> desta *nuestra* trabajosa vida . . . / sobre *nuestro* arcaz . . . / ha venido esta noche por *nuestro* arcaz . . .

En un momento de diálogo interior (movedizo e ingenioso, pero que anuncia próximas desdichas), el 'mío', acosado a ciegas por el 'tuyo', que está fuera de sí porque ignora las causas de sus pérdidas, fluctúa entre lo abstracto y lo concreto,

> que el clerigo cerrasse la puerta a *mi* consuelo y l'abriesse a *mis* trabajos.

Titubeo que se manifiesta por medio del complejo 'cerrar-abrir' y con tan viva transparencia que no sólo

4 Con la breve excepción de los *mortuorios*.

proclama el centro argumental del tratado, sino que ahí mismo está el ingrediente que luego servirá para darle fin,

> ...y *sacome* la puerta afuera... e santiguandose de *mi*... se torna a *meter* en casa y cierra *su* puerta.

La batalla entre el 'mío' y el 'tuyo' (cuya fuerza interna radica en las acciones de 'sacar-meter', 'abrir-cerrar',[5] etc.) descubre, con gran cuidado, los campos contendientes y muestra cómo uno de ellos invade al otro, para concluir en la tan necesitada *paz*; paz que irá en detrimento de una de las dos partes y que sabemos, de antemano, que esa parte será Lázaro.

La primera advertencia del *desastre* es puesta en una inquieta disyuntiva que, con todo y jugar divertidamente con su propia estructura, destaca un severo dramatismo, aunque se esconde en la esfera psíquico-moral del 'yo-Lázaro',

> quisieron *mis* hados *o* por mejor decir *mis* pecados...[6]

Y los posesivos promueven un apretado acercamiento a los objetos,

> *mi* desastre quiso... / con *su* garrote... / con toda *su* fuerza...,

hasta que el maleficio es destruido. Y sin embargo la idea de posesión es obstinada,

5 Cf. cap. VIII, p. 122 ss.

6 Véase lo que digo en el cap. IV, p. 66.

> todauia con *mi* llaue en la boca que
> no *la desampare* . . .

Y de verdad es suya, pues la recibió del 'ángel-calderero' y no la hurtó al amo. Los lamentos de Lázaro repercuten por medio de un 'mi' debilitado, sin fuerzas,

> torne en *mi sentido* . . . / vi*me* echado
> en *mis* pajas . . . / buelto en *mi* sentido . . . / tornaron de nueuo a contar
> *mis* cuytas y *yo* pecador[7] *a llorarlas,*

Con esa actitud de pecador, se deja sacar fuera de la casa y pone en boca del clérigo las palabras claves que deben destruir a las que sirvieron de inicio al tratado *("finalmente, el clérigo me rescibio por suyo"),*

> "mas eres *tuyo* e non *mio*".

No dice 'm a s e r e s t u y o q u e m í o', sino *"mas eres tuyo e non mio"*, con lo cual desmonta a la nominación *amo* el *m i* y se lo entrega a Lázaro, a fin de que no vuelva a penetrar en el 'mío' del clérigo, ya que ésa fue la *puerta* por donde entró en su *hazienda.* El clérigo ha comprendido que, al tomar a Lázaro por 'suyo', lo había introducido en el mundo (¡y qué mundo!) de sus cosas y urgía expulsarlo, para concluir con el peligro que tal circunstancia representaba; por eso, añade,

---

7 No es de extrañar, ya que fueron *sus pecados* los que le llevaron hasta el clérigo.

> "que no quiero en *mi compañia* tan diligente servidor".

Es decir,

> 'no quiero tener a quien *comparte el pan conmigo* [=c o m p a ñ í a] de manera tan diligente y tan contraria a como yo entiendo que debe ser compartido'.

Todas las estructuras quedan refrenadas por un 'no' dominante: *"no mio . . . / yo no quiero . . . / no es possible . . ."*; 'no' que se cambia en hecho —como última negación—, al cerrarse la puerta con un posesivo excluyente,

> se torna a meter *en casa* y cierra *su* puerta.

Lázaro queda con su 'mi' en el aire, solitario: busca amo. Y encuentra al escudero.[8] El 'mío' y el 'tuyo' dejan de ser hostiles: no desean penetrar el uno en el otro, con la intención de llevarse alguna cosa; por el contrario, el mozo siente admiración por *lo del* escudero,

> *su* passo y compas en orden. . . / segun *su* abito y continente . . . / no lo ve aqui a *su* contento . . . / deuia ser hombre *mi* nueuo amo que se proueya en junto . . .;

---

8 ¿No es curioso que el encuentro con el amo se desarrolle dentro de un vivísimo diálogo?

hasta que por poco cae *de su estado,*

> alli llore *mi* trabajosa vida pasada y *mi* cercana muerte venidera,

cuando se entera de lo que 'n o - t i e n e' su amo. Con todo, la estima para con el escudero va creciendo y surge un inesperado 'mi' que trata de asirse al amo con ardiente intensidad; un 'm i' que no había existido antes: junto a la fuerza posesiva que arrastra, conlleva también un gran afecto,

> y no tenia tanta lastima de *mi,* como del lastimado de *mi* amo.

De ahí, la *hermosa-triste* escena en que Lázaro c o m p a r t e *su* pan, *sus* tripas y *sus* uñas de vaca con el hambre de *su* amo.

Recordemos, como vigoroso contraste, una escena afín, cuando se encontraba con el clérigo de Maqueda,

> Quando al offertorio estauamos, ninguna blanca en la concha caya, que no era dél registrada. El vn ojo tenia en la gente y el otro en mis manos. Baylauanle los ojos en el caxco, como si fueran de azogue. Quantas blancas ofrecian, tenia por cuenta.

Un ojo en la gente, otro en las manos de Lázaro. El temor del clérigo le hace repartir su *m i r a r* en dos direcciones distintas, así como Lázaro también lo tiene repartido, puesto que lo *ve* mirar a una cosa y a otra. Y así continúa hasta que se produce el descanso de la tensión:

> Y acabado el offrecer, luego me quitaua la concheta y la ponia sobre el altar.

Los ojos, tan intranquilos, regresan a su actitud normal: tanto los del clérigo como los de Lázaro, pues ya no hay riesgo de hurto. El mirar estaba rebosante de desconfianza y recelo, tenso y agotado, a punto de estallar.

Regresemos a la escena con el escudero. Lázaro, con las vituallas que generosa gente le ha dado, teme que el amo le reprenda por llegar tarde; mas no lo hace; explica dónde estuvo y qué hizo; el amo reconoce que es mejor pedir que hurtar, pero le inquieta que sepan que está a su servicio y ande pidiendo limosna; pronto, es desechado el escrúpulo; el escudero acusa a la c a s a de las desgracias que le envuelven y la considera culpable de todo su mal: *"deue ser de mal suelo"*. Y Lázaro, ya en reposo, con la alteración descansada, nos dice,

> Sente*me* al cabo del poyo y porque no *me* tuuiesse por gloton calle la merienda. Y comienço a cenar y morder en *mis* tripas y pan, y dissimuladamente miraua al desuenturado señor *mio*, que no partia *sus* ojos de *mis* faldas, que aquella sazon seruian de plato. Tanta lastima aya Dios de *mi*, como yo auia *dél*, porque senti lo que sentia y muchas vezes auia por ello pasado y passaua cada dia. Pensaua si seria bien comedir*me* a combida*lle*; mas, por *me* auer dicho que auia comido, temia*me* no aceptaria

> el combite. Finalmente, *yo* desseaua aquel pecador ayudasse a *su* trabajo del *mio* y se desayunasse como el dia antes hizo, pues auia mejor aparejo, por ser mejor la vianda y menos *mi* hambre.

Lázaro, disimuladamente, mira al escudero y se percata que tiene los ojos fijos en sus faldas, *"que aquella sazon seruian de plato"*. Es decir, el mozo tiene —cabe decirlo así— un ojo puesto en el *mirar* del escudero y otro en las cosas que está mirando. La estructura sintáctica actúa como si fuese un círculo de posesión que encerrase en su centro al escudero,

> *mis* tripas y pan . . . y miraua el desuenturado señor *mio* que no partia *sus* ojos de *mis* faldas, que aquella sazon seruian de plato.

El 'mío' de Lázaro tiene sitiado el 'tuyo' del escudero: un 'tuyo' vacío, sin saber dónde asentarse, y, en su derredor, una serie de *objetos deseados* que sólo están esperando que se les nombre para dejarse poseer: '*m i s* tripas . . . *m i* pan . . . *m i s* uñas de vaca' del criado pueden convertirse en '*m i s* tripas . . . *m i* pan . . . *m i s* uñas de vaca' del escudero. Y, tan pronto como se efectúe el traslado, se producirá la paz del *m i r a r,* ansioso y desconcertante, por un lado; donador y generoso, por otro. Lázaro se embebe el ansioso mirar del escudero y lo traslada a su experiencia íntima, con lo cual lo cobija y acaricia en lo más hondo de su 'yo' afectivo,

> senti lo que sentia . . . auia por ello passado y passaua cada dia . . .;

intensidad que se hace patente por medio de las reiteraciones verbales y descubre la conmoción psíquica de Lázaro. Tan tensa es la situación, que le da fin desnudando lo más callado de su alma,

> pues auia *mejor aparejo, por ser mejor la vianda y menos mi hambre.*

Por vez primera encarece los objetos y reduce su *h a m b r e.* El cerrado círculo del 'mío' solicita la ayuda de Dios (recordemos que siempre llama a Dios para todo lo contrario) con el fin de acercarse al escudero. El fijo e insistente *m i r a r* no puede durar mucho: ni por parte del escudero ni por parte del mozo. Urge la paz, el sosiego. Y la paz[9] consistirá en c o m - p a r t i r la vianda: el ir y venir del 'tuyo' al 'mío' y viceversa. Hecha la paz, nace el rico juego dialogado entre los dos personajes,[10] con sus vivísimas frases de doble significación. Y así, hasta el fin de la escena,

> bebimos y muy contentos *nos* fuymos a dormir como la noche passada.

En cambio, la paz con el clérigo tiene otro cariz y hace que Lázaro se disculpe ante el lector, casi con un grito,

---

9 Recuérdese la etimología de 'paz'. Cf. mi estudio "En torno a un poema de la *Antolojía Poética*", *PMLA* (1962), LXXVII, p. 467, n. 28.

10 «Digote, Lázaro, que tienes en comer la mejor gracia, que en mi vida vi a hombre . . .»

«La muy buena que tu tienes, dixe yo entre mi, te haze parescer la mia hermosa».

«Con almodrote, dezia, es este singular manjar».

«"Con mejor salsa lo comes tu", respondi yo paso».

«Por Dios, que me ha sabido como si oy no ouiera comido bocado».

«"¡Ansi me vengan los buenos años como es ello!" dixe yo entre mi».

> No era yo señor de asirle vna blanca
> todo el tiempo que con el biui o, por
> mejor dezir, mori.

Si retomamos, ahora, las dos escenas, distinguimos que la de la *concheta* del clérigo de Maqueda sirvió para resaltar, con acritud, la terrible lucha entre el 'tuyo' y el 'mío'; la del escudero ha servido para hacer posible su conciliación: entonces, fue s e p a r a d o r; ahora, es c o l a b o r a d o r. Esto viene a demostrarnos, una vez más, que el tratado tercero retoma los antagonismos de los anteriores tratados y los c o m p o n e: este tratado representa el cierre, por conciliación, de lo que en un tiempo era irreductible.[11] He ahí la razón de que se apacigüen objetos, acciones y personas que en los anteriores tratados eran mirados con recelo y, lo que es peor, con terrible rencor. ¿Sorprenderá que en semejantes condiciones el 'mío' de Lázaro pretenda, por todos los medios, entrar en el 'tuyo' espiritual del escudero? Tampoco nos maravillará que el mozo se atreva a criticar, para sus adentros, los excesos del 'tuyo', en una ladera moral que le era desconocida,[12]

---

11 Son muchas las consideraciones que tiene Lázaro para con el escudero: sociales, morales, espirituales, de afecto, etc.: "no osandome reboluer por no despertalle"; "pense que me queria reñir la tardança mas mejor lo hizo Dios . . ."; "y porque no me tuuiese por gloton, calle la merienda"; "pongolo . . . tres o quatro raciones de pan, de lo mas blanco"; "este, dezia yo, es pobre y nadie da lo que no tiene", etc.

12 Es muy viva la preocupación de Lázaro por el complejo 'b a j a r - s u b i r': "Huelgo de contar a V.M. estas niñerias, para mostrar quanta virtud sea saber los hombres subir siendo baxos y dexarse baxar siendo altos quanto vicio." (Tr. I). Véase cap. VII, p. 98, n. 8.

> que *abaxase* un poco *su* fantasia con
> lo mucho que *subia su* necesidad.

Consideremos un curioso ejemplo que tiene importantes antecedentes en los tratados anteriores. Con el ciego, Lázaro es enviado por vino a la taberna:[13] va y vuelve lleno de temor, pues se había comido la longaniza, y ya sabemos sus resultados. Con el clérigo (que no lo envía por vino),[14] va a comprarle cabezas de carnero[15] —una vez por semana—, y aquél le da *"todos los huesos roydos"*; pormenor que aprovecha para pintar de un trazo al *"lazerado del amo"*, declarar el *hambre* a que le tiene condenado, y justificar lo de los *mortuorios*, donde encuentra un modo (¡y qué modo!) de saciarla. Con el escudero se presenta la misma situación: el amo le da el único *real* que tiene. ¿De dónde le vino? Lázaro se recrea con la disyuntiva

> no se por qual dicha *o* ventura, en el
> pobre poder de mi amo entro vn real.

Con ella también se entretuvo cuando el clérigo se preparaba para darle el garrotazo;[16] pero esta vez con vocablos cargados de esperanza y no de desolación y desastre. El amo le declara lo que debe comprar

---

13 Con un *marauedi*.

14 Y Lázaro lo hace notar con cierta insistencia.

15 Tres *marauedis*. He aquí un ejemplo más de la proximidad entre las dos escenas: *"dauame todos los huesos roydos"* (trat. II); *"royendo cada huessecillo mejor que vn galgo suyo lo hiziera"* (trat. III). La escena con el clérigo ha sido, ahora, invertida y cargada de humanidad y afecto.

16 «pecados *o* hados» / «culebra *o* culebro».

(*"merca pan y vino y carne: quebremos el ojo al diablo"*)[17] para c o m p a r t i r l o.[18] Es contado en estilo directo: Lázaro no ha querido narrarlo, sino reproducir las propias palabras del escudero a fin de que sintamos toda la generosa fuerza de su espíritu. Lázaro regresa al estilo narrativo y se describe a sí mismo.

> Tomo *mi* real y jarro y a los pies dandeles priessa, comienço a subir *mi* calle encaminando *mis* passos para la plaça, muy contento y alegre...

La acción es contada en presente. Se olvida que pertenece al pretérito. El real del escudero se transforma en *"mi real y jarro"*, y cuanta cosa aparece se incorpora al mundo del 'mi' y se apoya en él: *"m i calle... m i s pasos"*. De repente una interrogación de desconcierto y advertencia,

> Mas ¿que me aprouecha, si esta constituydo en *mi* triste fortuna que ningun gozo me venga sin çoçobra?

Triste, oscura nube que ensombrece un día de aparente sol. El tono de la narración experimenta un leve cambio,

> Y ansi fue este. Porque yendo la calle arriba, echando *mi* cuenta en lo que le emplearia, que fuesse mejor y

17 Recordemos cómo decía en el primer tratado: *"holgauame a mi de quebrar un ojo, por quebrar dos al que ninguno tenia"*.

18 Estamos en la esfera del plural abarcador. Téngase en cuenta lo que dije en el cap. VII, p. 99 ss.

> mas prouechosamente gastado, dando infinitas gracias a Dios, que a *mi* amo auia hecho con dinero. . ;

se hace razonadora; cargada de juiciosos detalles que se van escalonando; con el 'mi' debilitado y asustadizo, pues se desliga de los objetos a que hace un momento se había asido con fuerza, para llevarnos a un inesperado acontecimiento,

> a desora me vino al encuentro vn muerto, que por la calle abaxo muchos clerigos y gente en vnas andas trayan . . .

¿Se asusta Lázaro de un muerto que cree camino de su casa? Y con el clérigo, ¿no deseaba un buen número de ellos para resolver *s u h a m b r e*? El hecho ha valido para devanar un gracioso motivo argumental y que, a su vez, le descarga la conciencia de cuanto dijo en el tratado segundo.[19] Si cuando lo del ciego regresaba asustado y tembloroso, ahora lo está más. Pero, cuán diferente. Entonces, era el temor del castigo; en esta circunstancia, para pedir la ayuda del amo,

> Dexo el camino que lleuaua y hendi por medio de la gente y bueluo por la calle abaxo a todo el mas correr que pude para *mi* casa. Y entrando en ella cierro a grande priessa, inuo-

---

19 "Y porque dixe de mortuorios, Dios me perdone, que jamas fuy enemigo de la naturaleza humana, sino entonces. Y esto era porque comiamos bien y me hartauan." (Tr. II)

> cando el auxilio y fauor de *mi* amo, *abraçandome dél,* que me venga ayudar y a defender la entrada.

"*M i a m o*" tiene, aquí, un sesgo que no tuvo antes ni volverá a tener. El contexto queda empapado de un *temple* nuevo ("para *mi* casa") que se desparramará por todo el diálogo entre escudero y criado. El "*abrazo*", cima de todo el ascender humano (tuvo su comienzo en el primer c o m - p a r t i r el pan), nos llevará a que se cumpla el deseo de Lázaro (¡Cuán diferente de sus otros deseos para con los amos!): entrar definitivamente en el 'tuyo' del escudero y sentirlo en su profundo 'mío'. No basta com-partir pan, uñas de vaca, tripas, etc.; urge c o m - p a r t i r vidas.[20] Hecho esto (tan contrario a lo que hasta ahora había sido habitual para Lázaro), ya no tiene por qué continuar el tratado; debe terminar de manera contraria de como terminaron los otros: *a l r e v é s*.[21] Si Lázaro encontró al amo por la calle, con "*su paso y compás en orden*", el amo tendrá que desaparecer del mismo modo y con el mismo p a s o y c o m p á s: "*mas su salida fue sin buelta*". Si la gente, en los otros tratados, se reunía para reír los hechos del mozo, ahora se reunirá para discutir, y después reír, la huida del escudero. Así vemos a Lázaro quedarse solo,

---

20 Véase cap. VII, p. 102 *ss.*

21 El 'tuyo' de los otros hará desaparecer al escudero, mientras que el 'tuyo' de Lázaro lo retuvo. He aquí un ejemplo —muy importante en el mundo del *Lazarillo*— que pone al desnudo cómo una misma circunstancia puede tanto *crear* como *destruir*: todo depende del espíritu que la alimente. El 'tuyo' de Lázaro se allegó al 'mío' del escudero y penetró, suave y generosamente, hasta su alma; el 'tuyo' de los otros entra inesperadamente, con gritos, interesado, agresivo . . . No le queda más remedio que desaparecer.

agarrado a *su* soledad:[22] con un 'mi' que busca por todos los procedimientos el modo de asirse a algo que no encuentra, y con el escudero (hecho *mío*) en el alma, ya que la brusca y terrible realidad se lo ha arrebatado. El temor que tiene de la realidad —destructora y enemiga— le moverá a no recordarlo públicamente y, por tanto, lo retendrá en lo más silencioso y profundo de su corazón, como *eterno* modelo.[23]

Y las manos generosas de aquellas *mugercillas*[24] (le dieron la *vida* más de una vez), por haber comprendido la íntima tristeza de Lázaro, lo guían hasta el mundo del fraile. Ya con él, y agotado por la lucha del 'tuyo-mío' como actor, se dedica a vigilarlo. ¿Por qué d a r s e a un amo? ¿Por qué desear obtener las cosas que el otro tiene? Es mejor ponerse a cierta distancia, pues de los combates entre el 'tuyo' y el 'mío' siempre se sale perdiendo. Ha tenido tres experiencias al respecto: dos de ellas le han dejado el cuerpo lleno de heridas y el alma cargada de rencor; otra, la tercera (cuando empezaba su proceso de reconciliación y comprensión del mundo), lo ha dejado en absoluta soledad. No extrañaremos que, a partir de

---

22 Véase cap. VII, p. 105 y n. 12.

23 En el séptimo tratado recurre al 'modelo' del escudero, sin necesidad de nombrarlo.

24 Es curioso que los momentos más intensos en la vida de Lázaro tengan siempre unas 'manos' de mujer, aunque éstas no sean verbalmente expresadas: en el tratado primero, las manos de su madre; en la mitad del tratado tercero, las de las mujeres que le dan las uñas de vaca; ahora, la de las mujercillas; en el séptimo las de su mujer.

Es muy rico en detalles —pero yo no puedo entretenerme— el mundo de las 'manos' en el *Lazarillo:* manos fuertes; manos perspicaces, como ojos; manos expulsadoras; manos delicadas; manos mentirosas, etc.

este cuarto tratado, dé comienzo la 'objetivación'[25] más estricta respecto de los amos,

> este me *dio* los primeros çapatos que rompi en *mi* vida; mas no me duraron ocho dias. Ni yo pude con *su* trote durar mas. Y por esto y por otras cosillas, que no digo, sali dél.

La rapidez del tiempo (*"ocho dias"*) se hace rapidez de narración. El 'tuyo' (*"otras cosillas"*) no es penetrado —desde ningún punto de vista— por el 'mío' (*"que no digo"*): lo deja *a h í*, con su trote; ni siquiera se lleva lo que recibió del fraile (*los çapatos*), pues se ha gastado; mas sí se lleva consigo un profundo sentido de qué es y qué significa la *posesión* de las cosas: las cosas 'no duran' porque los *hados* (la *fortuna*, los *peligros* o los *pecados*) no las dejan durar, o porque las cosas se gastan, o porque son abandonadas o, lo peor de todo, porque pertenecen a otros.

Por haber sido así —y sólo así— la dolorosa experiencia de Lázaro, desea ver, ahora, qué ocurre cuando la batalla entre el 'tuyo' y el 'mío' tiene lugar en el mundo de los otros: hecho que ya tuvo sus primeros tanteos en la última escena del tratado tercero, que vuelve a surgir en el rápido desarrollo del cuarto, y que se llevará a cabo, con toda su plenitud, en el quinto. Tan pronto como el buldero desde lo alto del púlpito *"comienza su sermón"*, es interrumpido por el alguacil (su antiguo amigo) quien, en estilo directo, declara:

---

25 No olvidemos que la 'objetivación' es una técnica que manejó con gran soltura en los primeros tratados. Véase cap. IV, p. 64 *ss.*

> "Buenos hombres, oydme vna palabra, que despues oyreys a quien quisieredes. Yo vine aqui con este echacueruo, que os predica. El qual me engaño y dixo que le fauoresciesse en este negocio y que partiriamos la ganancia. Y agora, visto el daño que haria a *mi consciencia* y a *vuestras haziendas*, arrepentido de lo hecho, os declaro claramente que las bullas, que predica, son falsas y que no le creays ni las tomeys y que yo directe ni indirecte no *soy parte en ellas . . .*"

El 'mío' del alguacil *("mi consciencia")* se separa del 'mío' del buldero, con el cual formaba un 'nosotros' *("que le fauoreciesse en este negocio y que partiriamos la ganancia")*, para anunciar al 'tuyo' *("vuestras haziendas")* el peligro en que se encuentra: *"que las bullas, que predica* [e l b u l d e r o], *son falsas y que no le creays . . ."* ¡Qué extraordinario acto de generosidad y buena fe! El 'mío' del buldero se queda solo, rodeado por su tremenda falsedad: *"Os desengaño y declaro su maldad"*. ¿Será verdad cuanto dice el alguacil? No es posible. Y el buldero se vuelve a Dios,

> "Señor Dios, a quien ninguna cosa es escondida, antes todas manifiestas, y a quien nada es impossible, antes todo possible: tu sabes la verdad y quan injustamente yo soy affrentado . . ."

La gente escucha, con atención y desasosiego, esta viva llamada a Dios, trabada con sólidos y ordenados juicios:

a) nada hay escondido para *Dios,*
b) nada es imposible para *Él,*
c) sólo *Él* sabe la verdad.

Por el contrario, para el hombre, los hombres que están en la iglesia y han escuchado al alguacil

a) las cosas están escondidas, ocultas,
b) todo es imposible,
c) nunca sabe lo que es la verdad.

Enumeradas las primeras razones (que llevan implícitas, como antagónicas, las que he colocado para el hombre), la oración del buldero intenta poner de manifiesto, con gran solemnidad y grave preocupación, el engarce de un nuevo tipo del 'tuyo-mío', ya que si éste se rompe, quedan rotos también los espirituales beneficios de la *bulla* sobre el creyente. ¡Con cuánta atención debía escuchar la gente! ¡Qué silencio! Sólo se oyen las palabras del buldero y se aguarda, con atenta vigilancia, la *r e s p u e s t a* de Dios: un milagro. *É l* hará patente, ante los ojos de todos, la *v e r d a d* del buldero y, por tanto, la *f a l s e d a d* del alguacil. Para que exista la primera, tiene que ser aniquilada la segunda; ambas no pueden coexistir:[26]

---

26 Son muy parecidas las palabras del alguacil y las del buldero, cuando uno y otro dan término a sus respectivas declaraciones. El alguacil,

> "...Y si en algun tiempo este fuere castigado por la falsedad, que vosotros me seays testigos como yo no soy con el ni le doy a ello ayuda; antes os desengaño y declaro su maldad".

El buldero,

> "...Y si es verdad lo que yo digo y aquel, persuadido del demonio, por quitar e priuar a los que estan

> Apenas auia acabado *su* oración el deuoto señor *mio*, quando el negro alguazil cae de *su* estado y da tan gran golpe en el suelo, que la yglesia todo hizo rezonar, y començo a bramar y hechar espumajos por la boca y torcella, y hazer visages con el gesto, dando de pie y de mano, reboluiendose por aquel suelo a vna parte y a otra.

La gente grita, llena de espanto y temor. El *m i l a g r o*, denunciador de la f a l s e d a d del alguacil, ha declarado de suyo la v e r d a d del buldero, que tiene como sostén a Dios. Ya no hay dudas. La gente (el 'tuyo') se acerca al buldero y a sus *bullas* (el 'mío'), y el alguacil (el otro 'mío') declara su culpa y maldad para así regresar al 'nosotros', que había sido roto, en un principio, por *"boca y mandamiento del demonio"*. Se ha hecho la paz. ¿La causa? La unidad del 'tuyo-mío'. Tan enérgica es la eficacia de lo acontecido que sus efectos alcanzan a otras aldeas,

---

presentes de tan gran bien, dize maldad, tambien sea castigado y de todos conoscida su malicia".

Ambos, con base en la condicional (*"y si. . ."*), mantienen sus hábiles y desconcertantes puntos de vista. Está en juego la "m a l d a d", que, como una pelota, es echada del uno al otro. La gente espera saber a quién le pertenece; el texto la lleva muy escondida en la frase del buldero, aunque sólo se descubre cuando se conoce el desenlace. El verbo "c a s t i g a r" se presenta en una construcción y otra: en el alguacil, se trata de *castigo* humano; en el buldero, de *castigo* de Dios, por eso ha puesto la palabra "verdad" en cabeza y considera, casi afirmativamente, que es obra *del demonio* cuanto dijo el alguacil. Las expresiones que les dan fin son también muy parecidas: *"antes os desengaño y declaro su maldad"* / *"tambien sea castigado y de todos conoscida su malicia"*.

> divulgosse la nueua de lo acaescido por los lugares comarcanos y, quando a ellos llegauamos, no era menester sermon ni yr a la yglesia, que a la posada la venian a tomar...

¿Que se ha producido la concordia? No. Tal concordia no existe. La lucha entre estos dos elementos antagónicos es más terrible y mucho más descarada que la que, hasta ese momento, conocía Lázaro. Pues resulta que lo acontecido —¡el milagro!— es obra de la *industriosa* e *inuentiva* habilidad del buldero: el 'tuyo', repleto de astucia, ha penetrado en el 'mío' y lo ha esquilmado: "*vuestras haziendas*". Y se ha hecho en nombre de la *v e r d a d*. Entonces, ¿dónde está *e l l a*? ¿acaso en el fondo de la burla? Sí, aunque parezca extraño: la *burla* es la portadora de la terrible *verdad*: la lleva en sus entrañas,

> Quando el hizo el ensayo, confiesso *mi* pecado que tambien fuy dello espantado y crey que ansi era, como otros muchos; mas con ver despues la risa y burla, que *mi* amo y el alguazil lleuauan y hazian del negocio, conosci como auia sido industriado por el industrioso e inuentiuo de *mi* amo.

Y termina el tratado con estas palabras,

> Finalmente, estuue con este mi quinto amo cerca de quatro meses, en los quales passe tambien *hartas fatigas.*

¿A qué clase de fatigas[27] se refiere Lázaro? ¿Fatigas por causa de las burlas de los burladores (=el 'mío'), hechas entre la inocente gente (=el 'tuyo')? Los ojos de Lázaro —y también los de su conciencia— han aprendido otra lección; han sido testigos de lo que es capaz de hacer el hombre para pasar de una esfera (=el 'mío') a otra (= 'tuyo') y apoderarse, así, de las cosas que en ella hay; por eso exclama:

> «¡Quantas destas deuen hazer estos burladores entre la inocente gente!»

De donde entresacamos, y se nos hace patente, que "*estos buladores*" tiene un doble significado: por un lado, carácter concreto: el buldero y el alguacil de la historia; por otro, un amplio sentido general: 't o d o s l o s q u e p e r t e n e c e n a e s t a c l a s e d e b u r l a d o r e s'. Y donde vemos, como en un perfecto cuadro pictórico, a los burladores en el centro y, en torno a ellos, a la inocente gente, *burlada*.[28]

Cambio, otra vez, de situación: con el maestro de pintar panderos. Si con él sufre las consecuencias de la lucha entre el 'mío' y el 'tuyo' ¿para qué entretenerse en los detalles? ¿Necesita repetir cómo se realiza el combate? ¿Mostraría, al hacerlo, algo que no se haya dicho en las otras experiencias? ¿No le basta con anunciar que *asentó* con él y *sufrió mil males*?

---

27 Como el interpolador de la edición de *Alcalá* se ha dado cuenta que no se trata de 'h a m b r e', pone al final del tratado: "*aunque me daua bien de comer a costa de los curas y otros clerigos do yua a predicar*".

28 El asunto del *Novellino* ha quedado totalmente hispanizado y sometido a los intereses artísticos de nuestro autor. Cf. Morel-Fatio, *Vie de Lazarillo*, p. x *ss.*, y véase también nuestro cap. VIII, p. 113 y n. 11.

¿No es suficiente (el lector ya está preparado, por cuanto sabe) el hecho de encarecer la palabra "males" con el hiperbólico "mil"?[29]

Nos cuenta, luego, cómo llegó ante el capellán de la iglesia mayor y se apoya, para exponerlo, en algunos elementos que usó en el tratado segundo,[30]

> Siendo ya en este tiempo moçuelo,
> *entrando vn dia en la yglesia* mayor,
> vn capellan della *me rescibio por suyo*.

Con una pequeña pero significativa variante, ya que la pone en cabeza de la narración (*"siendo ya en este tiempo moçuelo"*), y hace que las cosas, las circunstancias y las relaciones humanas presenten otro cariz. El 'tuyo' y el 'mío' se presentan muy bien repartidos: ya no es una *l u c h a,* pues ha quedado atenuada; por el momento se nos habla de un con-trato,[31] de ahí que diga,

> fue el primer escalon que yo subi
> para venir a alcançar buena vida,
> porque *mi* boca era medida.

---

29 "Despues desto, assente con vn maestro de pintar panderos, para molelle los colores, y tambien sufri mil males". Creo que el "*tambien*" es suficiente punto de apoyo para enriquecer la fantasía del lector. Véase además cap. VIII, p. 132 *ss.* y la n. 39.

30 "me toparon mis pecados con vn clerigo . . . Finalmente, el clerigo me rescibio por suyo".

31 La diferenciación es muy clara:

> "Daua cada dia a *mi amo* treynta marauedis ganados y los sabados ganaua para *mi* y todo lo demas, entre semana, de treynta marauedis".

Representa un preciso relato de las dos c u e n t a s: la del amo ('tuyo') y la de Lázaro ('mío').

Si le fue bien, ¿qué razón existe para detenerse en pormenores? ¿No se trata en todo el libro de fortuna, peligros y adversidades? ¿Dónde están —si hay con-trato y la *boca es medida*— esos peligros, fortunas y adversidades? ¿No es acaso la primera vez, en su vida, que gana *su* pan (*"ahorre para me vestir muy honradamente")*? Unos cuantos trazos son suficientes para pintar estados y personas, hasta el instante de la despedida,

> Desque me vi en abito de hombre de bien, dixe a mi amo se tomasse su asno, que no queria mas seguir aquel officio.

Y porque se v i o —necesitaba *v e r s e*— en hábito de hombre de bien, actúa de esa manera. Tengo para mí que el texto debe ser leído de este otro modo,

> 'dixe a mi amo se tomasse *s u a s n o,* que yo me tomaua *l o m i o,* que no queria mas seguir aquel oficio',

con lo cual el juego 'tuyo-mío' destaca el espíritu que le sirvió de base y origen.

Del capellán se traslada al alguacil. ¿Por qué tan breve estancia con él? Le parece oficio *peligroso*. ¿No hablaba en el prólogo de *peligros?* Sí, pero no de e s a clase de peligros, pues, por lo visto, la lucha entre el 'tuyo-mío', ahora, es de muerte

> que vna noche nos corrieron a mi y a *mi* amo a pedradas y a palos vnos retraidos. Y a *mi* amo, que espero,

> trataron mal; mas a mi no me alcançaron. Con esto renegue del *trato.*

No quiere que lo *alcancen*: es él quien desea *alcanzar.* Por ello, se pone a pensar (¡Lázaro se pone a pensar!) *en* qué modo haría su *asiento*; esto es, cómo asegurar, de una vez por todas, lo 'mío' y que, además de hacerlo *durativo,* pueda expanderse a otras cosas y se las incorpore de suyo. De ahí que la importantísima frase del tratado tercero (¡siempre el tercer tratado como *modelo!*),

> alli se me representaron de nueuo *mis* fatigas y torne a llorar *mis* trabajos,

vuelva a repetirse en el Séptimo, pero al revés,[32]

> todos *mis* trabajos y fatigas hasta entonces passados fueron pagados con alcançar lo que procure.

El 'mi' empieza a encontrar objetos donde asirse,

> pasan por *mi* mano . . . / viendo *mi* habilidad y buen vivir . . . / teniendo noticia de *mi* persona . . . / nos hizo alquilar vna *casa* par de la suya . . . / *mi* muger . . . / "muy a *tu* honra [*i.e.* la de Lázaro]. . ." / algunos de *mis* amigos . . .[33] / *mi* prosperidad . . .

---

32 ¿No fue *al revés* lo que le aconteció con el escudero?

33 Por primera vez aparece la palabra "*amigo*" y con ella (a pesar de las contrariedades que el contexto señala) se nos advierte el cambio total que se realiza en la vida de Lázaro.

No extrañaremos que el término *"todo"* se desenvuelva con gran soltura y se abrace frenéticamente a las cosas: las más veces, descubierto; algunas, metido por entre los contextos, como espíritu dominante, aunque soterraño,

> *todos* mis trabajos ... / casi *todas* las cosas ... / en *toda* la ciudad ... / *todo* fauor y ayuda. .. / casi *todas* las comiamos ... / *todos* tres bien conformes ... / de *toda* buena fortuna ... / que es la cosa del mundo que yo mas quiero ['de todas'] y la amo mas que a mi (='mas que a todo lo mio'),

y que actúa a modo de elemento *recolectivo* de lo que antes estuvo diseminado: su vida.[34]

La pugna entre el 'tuyo' y el 'mío' aparece, al presente, sólo insinuada (el lector es quien la reconstruye), pues ya no es respecto de las cosas, ha cambiado de lugar: atañe a la esfera moral y *ésta,* cuando se presenta, puede ser cortada de un tajo,

> «quien otra cosa me dixere, *yo me matare con el*» Desta manera no me dizen nada y yo tengo *paz en mi casa.*

Es decir,

> 'desta manera el *tuyo* queda detenido en sus fronteras y yo en *las mias* y, al no existir guerra de

---

34 Cf. Helmut Hatzfeld, en *Zeitschrift für romanische Philologie,* t. LII, p. 699 *ss.*

> elementos contrarios ['*t u y o-m í o*'],
> tengo paz en *m i* casa'

El 'tuyo', entonces, no puede alterar la seguridad (aunque ésta sea dudosa) del 'mío'. Una voluntad de hierro le ha cerrado el paso: el 'tuyo' se consumirá en sus propias brasas.

El análisis que hemos hecho ha puesto al desnudo que el 'mío' de Lázaro ha sido siempre provisional y sujeto, en todo momento, al influjo de extrañas circunstancias que, lo mismo que le permitían llenarlo de contenido, se lo vaciaban. Cuanta cosa se acercaba a *su* mundo era accidental y, si bien *esa cosa* era adquirida por las *mañas* de Lázaro, quedaba siempre a merced de la *fortuna*, los *peligros* y las *adversidades*. De ahí su condición transitoria, y de ahí también la constante presencia del verbo *durar* como aspiración y deseo. Tan pronto como el 'd u r a r' deja de ser preocupación e inquietud vacilante y adquiere sentido real y permanente, los conceptos de 'residir' y 'vivir' reciben un sentido y una disposición que hasta entonces no habían tenido,

> En el qual el dia de oy *viuo y resido*[35]
> a seruicio de Dios y de vuestra merced.

Y descubrimos que el 'v e r'[36] (de tanto uso) se convierte, ahora, en fundamental punto de protección,

---

35 Corresponde, en el fondo, a un definitivo estar 'd e n t r o'. Véase cap. VIII, pp. 122 *ss* y 129 *s.*, donde hablo sobre esto. Un estudio respecto de "*estar*" nos hubiere conducido al mismo resultado, por eso no he querido usarlo ahora.

36 Para *ver*, en la novela moderna francesa, véase el interesante artículo de Anna Granville Hatcher, "*Voir* as a modern novelistic device", *PhQ*, XXIII (1944), pp. 354-374.

> En este tiempo, *viendo* mi habilidad y buen biuir, teniendo noticia de mi persona el señor arcipreste de Sant Saluador [...] procuro casarme con vna criada suya. Y *visto por mi* que de tal persona no podia venir sino bien y fauor, *acorde* de lo hazer...

El transitorio y vacilante 'mío' ha conseguido transformarse en un '*mío*' duradero y estable, pero necesitaba sostenerse en el 'v e r', no en el *parecer*. Lo estable, lo verdadero, lo fijo y seguro, desde el punto de vista de Lázaro, necesita dos soportes: 'mi ver' (el de Lázaro) y el 'ver de los otros', y ambos han de coincidir: "*viendo* mi habilidad el ... arcipreste... / y *visto* por mi que de tal persona..." Si el 'v e r a j e n o' no coincide con el suyo, no hay verdad ni estabilidad ni duración: las cosas se hacen transitorias, fugaces, sujetas a extraños influjos. Tal es el caso para con "*lo*" de su mujer: "*Mas malas lenguas que nunca faltaron ni faltaran*". Con el fin de resolverlo, pues se ha quedado sólo con su punto de vista, traslada el 'v e r d e l o s o t r o s' al 'v e r' del arcipreste quien, al declararle que nada tiene que *temer*, produce el equilibrio y, por tanto, la paz de *su* casa; a saber, del 'mío' que ha estado a punto de ser destruido para siempre.[37]

---

37 Aquí habría podido desarrollar la idea de 'verdad' en Lázaro, tema insinuado, hasta cierto punto, en las notas a la escena del buldero y el alguacil (*v.* p. 182). Mas considero que no es el momento de hacerlo, pues reclamaría un extenso capítulo que rebasaría los límites que me he impuesto para con este libro. Lo reservo, por lo tanto, para otra ocasión y un futuro estudio que llevo entre manos. Con todo, anticipo un sencillo detalle: la validez del *llamar* de los otros a las cosas, las acciones o las personas, no adquiere *sentido auténtico* hasta que coincide con el *llamar* y con el *haber visto* o *haber sido* de Lázaro (por muy singular que sea ese *ver* o ese *ser*), y se nos hace

Si, después de todo lo dicho, enfrentamos ahora las palabras que dan comienzo al *Lazarillo* con las que lo cierran, hallaremos una interesante semejanza,[38]

Pues sepa V. M. ante *todas cosas* que a mi llaman Lazaro de Tormes... *Mi nascimiento* fue dentro del rio... (Tr. I)	*Pues* en este tiempo estaua en [=d e n t r o de] *mi prosperidad* y en la cumbre[39] de *toda buena fortuna* (Tr. VII)

La conjunción de soporte es la misma *(pues)* y se recurre a ciertas estructuras iguales ("ante *todas* cosas... / *mi* nascimiento..."), si bien las invierte en el tratado séptimo (*"mi* prosperidad... / *toda* buena fortuna"). ¿Por qué esta inversión? Tengo para mí que intenta mostrarnos la parte anterior y posterior de un mismo objeto; esto es, una *artística cerradura*:[40] abrimos desde fuera y se nos invita a pasar; después, cuando lo hemos visto todo, se nos invita a salir y la puerta (*su* puerta) se cierra, desde dentro.

De lo expuesto, concluyo que el *Lazarillo de Tormes* es un todo *c e r r a d o* y no *a b i e r t o,* y así creo que lo piensa y cumple el autor: aspecto importantísimo que no llegaron a *ver* los *continuadores.*[41]

---

patente en el comienzo del tratado primero, lo cual coincide con lo que dije ("el comienzo contiene ya escondido el fin") en el cap. VIII, p. 133 y n. 40: (1) "... *a mi llaman* Lazaro de Tormes"; (2) "*mi nascimiento fue* dentro del rio Tormes"; (3) "De manera que *con verdad me puedo dezir* nascido en el rio"

38 Hay también un cierto parecido entre las "*malas lenguas*" para con su madre (tr. I) y las "*malas lenguas*" para con su mujer (tr. VII)

39 Téngase en cuenta lo que dije en la nota 12.

40 No en vano 'llave', 'puerta', 'entrar-salir', etc., son tan evidentes en toda la obra.

41 Véase todo cuanto expreso en el cap. VIII, p. 130 *ss.*

XI. ILUSTRACIONES

Fig. 1 Fig. 2 Fig. 3 Fig. 4 Fig. 5 Fig. 6 Fig. 7	Estos siete dibujos, de la primera mitad del siglo XIV, ilustran las *Decretales* de San Gregorio (Gregorio IX, *Decretalium Libri 5*), y se encuentran en el *MS Roy. 10 E. IV* del British Museum, Londres. En el folio 217 empiezan los dibujos y en ese mismo folio aparece la figura n. 1. J. J. Jusserand los dio a la estampa por primera vez en *Athenæum* (diciembre, 1888). Los reprodujo, más tarde, R. Foulché-Delbosc.[1] La primera ilustración, como verá el lector, representa la escena del *jarrillo de vino* del tratado primero. Respecto de los otros dibujos se preguntó Foulché-Delbosc: "*Les six dernières* [illustrations] *se rapportent-elles à d'autres épisodes du Lazarillo de Tormes?*" Las reproduzco, ahora, casi con la misma intención que lo hizo el Profesor Foulché-Delbosc, en su tiempo.
Fig. 8	Página inicial, con una viñeta (Lázaro y el Escudero), del tratado tercero, edición de Madrid, 1599.

1 Foulché-Delbosc, *art. cit.*, p. 93 ss., y F. W. Chandler, *op. cit.*, p. 199.

Fig. 1. "...el jarro lo tenia por el asa asido. Mas... yo con una paja larga de centeno... metiendola en la boca del jarro, chupando el vino, lo dexaua a buenas noches." [Tr. III]

Fig. 2.

Fig. 3.

Fig. 4.

Fig. 5.

Fig. 6.

Fig. 7.

de Tormes. 49

ASSIENTO
de Lazaro cõ vn
Escudero.

DEsta manera me fue
forçado sacar fuer-
ças de flaqueza, y poco a
poco, con ayuda de las
buenas gentes, di conmi-
E go

Fig. 8. *"Topome Dios con vn escudero que yua por la calle, con razonable vestido, bien peynado, su paso y compas en orden. Mirome y yo a el."* [Tr. III]

LA VIDA

DE LAZARILLO DE TORMES,

Y de ſus fortunas y aduerſidades.

En Milan, Ad inſtanza de Antoño de Antoni

M. D. LXXXVII.

Fig. 9. *"Yo por bien tengo que cosas tan señaladas y por ventura nunca oydas ni vistas vengan a noticia de muchos y no se entierren en la sepultura del oluido."* [Prólogo]

VIDA DE

LAZARILLO

DE TORMES.

CORREGIDA, Y EMENDADA

Por H. DE LVNA Castellaño, Interprete de la lengua Española.

En Zaragoça,

POR PEDRO DESTAR, a los Señales del Fenız.

Fig. 10. *"... por lo tanto no podía tener continuadores, aunque no haya faltado el atrevimiento de continuarla. ¡Así son las segundas partes!"* [Capítulo VIII, p. 134]

THE LIFE OF

LAZARILLO DE TORMES

AND HIS FORTUNES AND ADVERSITIES

DONE OUT OF THE CASTILIAN
FROM R. FOULCHÉ-DELBOSC'S
RESTITUTION OF THE EDITIO
PRINCEPS

BY LOUIS HOW

WITH AN INTRODUCTION AND NOTES BY

CHARLES PHILIP WAGNER

NEW YORK
MITCHELL KENNERLEY
1917

Fig. 11. "*...y quieren... ser recompensados, no con dineros, mas con que vean y lean sus obras y, si ay de que, se las alaben.*" [Prólogo]

The Life of Lazarillo de Tormes and His Fortunes and Adversities

PROLOGUE

I THINK it well that things so remarkable, and mayhap never before heard of or seen, should come to the attention of many, and not be buried in the tomb of oblivion; since it is possible that some one who reads of them may find something to please him, and those who do not get so far as that it may divert; and in this connection Pliny says that there is no book, bad though it be, but has something good in it; more especially, as tastes are not all the same, but what one will not eat, another would give his ears for. And so we find things held in slight consideration by some and not by others. And therefore, nothing should be destroyed, or should

Fig. 12.

Fig. 13. *"Como estuuimos en Salamanca algunos dias . . ., mi amo . . . determino yrse de alli . . . Salimos de Salamanca y llegando a la puente . . ."* [Tr. I]

Fig. 14. *"Estauamos en Esalona, villa del duque della..."* [Tr. I]

Fig. 15. "...*y bueluo por la calle abaxo a todo el mas correr que pude para mi casa. Y entrando en ella cierro a grande priessa*..." [Tr. III]

Fig. 16. "*Esto fue el mesmo año que nuestro victorioso Emperador de esta insigne ciudad de Toledo entro y tuuo cortes en ella y se hizieron grandes regozijos . . .*" [Tr. VII]

XII. BIBLIOGRAFÍA

I. Abreviaturas de Revistas y Colecciones de Libros que se han empleado tanto para las notas como para la presente bibliografía

BAE = Biblioteca de Autores Españoles
BRH = Biblioteca Románica Hispánica
CC =Clásicos Castellanos
CFdMA = Classiques Français du Moyen Age
HR = Hispanic Review
MLN = Modern Language Notes
MLQ = Modern Language Quarterly
NRFH = Nueva Revista de Filología Hispánica
PhQ = Philological Quarterly
PMLA = Publication Modern Language Association
R = Romania
RFE = Revista de Filología Española
RH = Revue Hispanique
RPh = Romance Philology
ZRPh = Zeitschrift für romanische Philologie

II. Obras consultadas (Algunas de estas obras ya fueron citadas en las notas de pie de página)

MATEO ALEMÁN, *Guzmán de Alfarache* (edic. de S. Gili Gaya), *CC*, Madrid, 1942.

AMADO ALONSO, *Materia y Forma en Poesía, BRH*, Madrid, 1955.

DÁMASO ALONSO, *De los Siglos Oscuros al de Oro, BRH*, Madrid, 1958.

DÁMASO ALONSO, "Escila y Caribdis de la Literatura Española", *Cruz y Raya*, Madrid, 1933, pp. 77-102.

ENRIQUE ANDERSON IMBERT, *Qué es la Prosa*, Buenos Aires, 1963.

MANUEL J. ASENSIO, "La intención religiosa del *Lazarillo de Tormes* y Juan de Valdés", *HR*, XXVII (1959), pp. 78-102.

S. AGUADO-ANDREUT, "En torno a un poema de la *Antolojía Poética*", *PMLA*, LXXVII (New York, 1962), pp. 459-470.

S. AGUADO-ANDREUT, *Lengua y Literatura*, Universidad de Costa Rica, 1959.

* *

MANUEL BALLESTEROS y J. L. ALBORG, *Manual de Historia Universal*, Madrid, 1961.

MARCEL BATAILLON, *Erasmo y España* (tra. de A. Alatorre), México, 1950, 2 v.

MARCEL BATAILLON, *La Vie de Lazarillo de Tormes*, Paris, 1958.

MARCEL BATAILLON, *Le Roman Picaresque*, Paris, 1931.

WERNER BEINHAUER, *Spanische Umgangssprache*, Bonn, 1958 [Acaba de aparecer una traducción española de F. Huarte Morton, con el título de *El Español Coloquial*, *BRH*, Madrid, 1963; esta traducción está enriquecida y puesta al día respecto de la edición alemana].

ADOLFO BONILLA y SAN MARTÍN, editor, *La Vida de Lazarillo de Tormes.*

* *

FERNÁN CABALLERO, *Cuentos y poesías populares andaluces*, Sevilla, 1895.

ALFREDO CARBALLO PICAZO, recensión del Libro de M. Bataillon, *El Sentido del Lazarillo de Tormes*, *RFE*, XXXIX (1955), pp. 408-410.

JOSÉ Mª CASTELLET, *La hora del lector*, Barcelona, 1959.

AMÉRICO CASTRO, editor, *El Buscón.*

AMÉRICO CASTRO, *El Pensamiento de Cervantes*, *RFE*, Madrid, 1925.

AMÉRICO CASTRO, *España en su Historia* (primera edición de la obra anterior), Buenos Aires, 1948.

AMÉRICO CASTRO, *La Realidad Histórica de España*, México, 1954.

AMÉRICO CASTRO, "Las novedades y las nuevas", *HR*, XX (1952).

ALFREDO CAVALIERE, editor, *La Vida de Lazarillo de Tormes.*

JULIO CEJADOR y FRAUCA, editor, *La Vida de Lazarillo de Tormes.*

MIGUEL DE CERVANTES, *Novelas Ejemplares*, Madrid, 1914.

CICERÓN, *Correspondance* (edic. de L. A. Constant), Paris, 1941, 4 v.

CICERÓN, *Tusculanae Disputationes* (edic. de O. Heine y, después, de Pohlenz), Leipzig, 1922, 2 v.

J. EDUARDO CIRLOT, *Diccionario de Símbolos Tradicionales*, Barcelona, 1958.

L. JAIME CISNEROS, editor, *La Vida de Lazarillo de Tormes.*

GUSTAVE COHEN, editor, *La "Comedie" latine en France au XIIème siècle*, Paris, 1931, 2 v.

GUSTAVE COHEN, "La scene de l'aveugle et son valet", *R*, XLI (1912).

J. COROMINAS, *Diccionario Crítico Etimológico de la Lengua Castellana*, *BRH*, Madrid, 1954, 4 v.

GONZALO CORREAS, *Vocabulario de Refranes y Frases Proverbiales*, Madrid, 1906.

MANUEL CRIADO DE VAL, "Historia del verbo en la literatura de Castilla la Nueva", *RFE*, XXXIX (1955), pp. 232-260.

ERNST ROBERT CURTIUS, *Europäische Literatur und Lateinische Mittelalter*, Bern, 1948 (la traducción española de Margarita Frenk Alatorre y Antonio Alatorre conserva el mismo título, *Literatura Europea y Edad Media Latina*, México, 1955, 2 v.).

* *

F. W. CHANDLER, *The Picaresque Novel in Spain*, New York, 1859 (hay traducción española de Martín Robles, *La novela picaresca en España*, Madrid, s.a.).

* *

DANTE, *De Monarchia* (edic. de G. Vonay), Florencia, 1950.

FRANCISCO DELICADO, *La lozana andaluza*, Paris, 1950.

* *

MIRCEA ELIADE, *Tratado de Historia de las Religiones*, Madrid, 1954.

T. S. ELIOT, *On Poetry and Poets*, New York, 1961.

T. S. ELIOT, *Selected Essays*, New York, 1960.

ALFRED ERNOUT, *véase* ANTOINE MEILLET.

* *

GEORGE FERGUSON, *Signs and Symbols in Christian Art*, New York, 1954.

R. FOULCHÉ-DELBOSC, "Remarques sur *Lazarillo de Tormes*", *RH*, VII (1900), pp. 80-97.

HUGO FRIEDRICH, *Die Struktur der modernen Lyrik*, Hamburg, 1956.

* *

ALEXANDER GELLEY, "Staiger, Heidegger and the task of Criticism", *MLQ*, XXIII (1962), pp. 195-216.

SAMUEL GILI GAYA, "La novela picaresca en el siglo XVI", en *Historia General de las Literaturas Hispánicas*, Barcelona, 1953, t. III.

J. E. GILLET, "A note on the *Lazarillo de Tormes*", *MLN*, 55 (1940), pp. 130-134.

STEPHEN GILMAN, *The Art of La Celestina*, University of Wisconsin, 1956.

ÁNGEL GONZÁLEZ PALENCIA, editor, *La Vida de Lazarillo de Tormes.*

ÁNGEL GONZÁLEZ PALENCIA y J. HURTADO, *Historia de la Literatura Española,* Madrid, 1949.

ÁNGEL GONZÁLEZ PALENCIA y EUGENIO MELE, *Vida y Obras de Don Diego Hurtado de Mendoza,* Madrid, 1941-43.

Fray ANTONIO DE GUEVARA, *Obras, BAE,* Madrid, s.a., t. XIII.

* *

ANNA GRANVILLE HATCHER, "*Voir* as a modern novelistic device", *PhQ,* XXIII (1944), pp. 354-374.

HELMUT HATZFELD, *El Quijote como obra de arte del lenguaje,* Madrid, 1949.

HELMUT HATZFELD, en *ZRPh,* LII.

MARTIN HEIDEGGER, *Sein und Zeit,* Tübingen, 1949[6].

MARTIN HEIDEGGER, *Sendas Perdidas* (traduc. de J. Rovira Armengol), Buenos Aires, 1960.

ALBERT HENRY, *Chrestomatie de la Littérature en Ancien Français,* Bern, 1953.

HANS EGON HOLTHUSEN, *Kritisches Verstehen,* Munich, 1961.

HORACIO, *Odae* (edic. de Keller y A. Holder), Leipzig, 1899.

J. HURTADO, *véase* ÁNGEL GONZÁLEZ PALENCIA.

* *

C. G. JUNG, *Symbols of Transformation,* New York, 1958.

* *

WOLFGANG KAYSER, *Das Sprachliche Kunstwerk, eine Einführung in die Literaturwissenschaft,* Bern, 1948.

* *

RAFAEL LAPESA, *Historia de la Lengua Española,* Madrid, 1959[4].

G. VAN DER LEEUW, *Fenomenología de la Religión* (traduc. de E. de la Peña), México, 1964.

FRIEDRICH LEO, *Geschichte der römischen Literatur,* Berlin, 1933.

ULRICH LEO, "La «Afrenta de Corpes», novela psicológica", *NRFH,* XIII, pp. 291-304.

MARÍA ROSA LIDA DE MALKIEL, "Perduración de la Literatura Antigua en Occidente", *RPh,* V, pp. 99-131.

LÓPEZ DE ÚBEDA, *La Pícara Justina*; *véase* Á. VALBUENA Y PRAT, *La Novela Picaresca*.

H. DE LUNA, *La Segunda Parte de la Vida de Lazarillo de Tormes*; *véase* Á. VALBUENA Y PRAT.

H. DE LUNA, *La Segunda Parte de la Vida de Lazarillo de Tormes* (edic. de E. Richard Sims), University of Texas, 1928.

* *

ENRIQUE MACAYA LAHMANN, *Bibliografía del Lazarillo de Tormes*, Costa Rica, 1935.

JUAN MARICHAL, *La Voluntad de Estilo*, Barcelona, 1957.

F. MÁRQUEZ VILLANUEVA, recensión de la obra de M. Bataillon, *La Vie de Lazarillo de Tormes*, *RFE*, XLII (1958-59), pp. 285-290.

F. MÁRQUEZ VILLANUEVA, "Sebastián de Horozco y el *Lazarillo de Tormes*", RFE, XLI (1957), pp. 253-339.

ANDRÉ MARTINET, *Éléments de Linguistique Générale*, Paris, 1960.

[A. ERNOUT y] A. MEILLET, *Dictionaire étymologique de la Langue Latine*, Paris, 1939.

EUGENIO MELE, *véase* Á. GONZÁLEZ PALENCIA.

MARCELINO MENÉNDEZ PELAYO, *Origen de la Novela*, Buenos Aires, 1946, 3 v.

A. MOREL-FATIO, *Études sur l'Espagne*, Paris, 1888.

A. MOREL-FATIO, *La Vie de Lazarillo de Tormes*, Paris, 1886.

* *

TOMÁS NAVARRO TOMÁS, *véase* GARCILASO DE LA VEGA.

EDUARDO NICOL, *Metafísica de la Expresión*, México, 1957.

* *

JÓSÉ ORTEGA Y GASSET, *Meditación de Europa*, Madrid, 1960.

JÓSÉ ORTEGA Y GASSET, *Obras Completas*, Madrid, 1962, t. IX.

JOSÉ ORTIZ ECHAGÜE, *España, Pueblos y Paisajes*, Bilbao, 1950.

OVIDIO, *Métamorphoses*, Paris, 1924.

SAN PABLO, *Epistola ad Corinthios Prima*, en *Novum Textamentum Graece et Latine* (edic. de Henr. Jos. Vogels), Friburgi Brigoviae, 1950.

PLINIO EL JOVEN, *Lettres* (edic. de A. Mª. Guillemin), Paris, 1928.

* *

FRANCISCO DE QUEVEDO, *El Buscón* (edic. de Américo Castro), *CC, Madrid*, 1926.

QUINTILIANO, *De Institutione Oratoria* (edic. de H. Borneque), Paris, s.a., t. III.

* *

RAINER MARÍA RILKE, *Antología Poética*, Barcelona, 1959.

MARIO ROQUES, editor, *Le Garçon et l'Aveugle, jeu du XIIIème siècle, CFdMA*, Paris, 1921.

JUAN RUIZ DE ALARCÓN, *Teatro* (selección de José Vallejo), Madrid, 1926.

* *

GUSTAV SIEBENMANN, *Über Sprache und Stil im Lazarillo de Tormes*, Bern, 1953.

E. RICHARD SIMS, edit., *La Segunda Parte de la Vida de Lazarillo de Tormes*.

GONZALO SOBEJANO, recensión del Libro de G. Siebenmann, citado arriba, *RFE*, XXXVII (1953), pp. 324-332.

LEO SPITZER, "Die Kunst Quevedos in seinem *Buscón*", *AR*, 1927.

LEO SPITZER, "Dos observaciones sintáctico-estilísticas a las *Coplas* de Manrique", *NRFH*, IV (1950), pp. 1-24.

LEO SPITZER, 'jerigonça', *RFE*, IX (1922), p. 326.

LEO SPITZER, *Lingüística e Historia Literaria* (tr. de J. Pérez Riesco y uno de los capítulos del libro traducido por Raimundo Lida), *BRH*, Madrid, 1955.

LEO SPITZER, *Romanische Literaturstudien*, Tübingen, 1959.

* *

F. COURTNEY TARR, "Literary and Artistic Unity in the *Lazarillo de Tormes*", *PMLA*, XLII (1927).

STEPHEN ULMANN, "L'image litteraire: quelques questions de méthode", en *Langue et Littérature*, Université de Liège, 1961.

STEPHEN ULLMANN, *Style in the French Novel*, Cambridge, 1957.

ÁNGEL VALBUENA y PRAT, *Historia de la Literatura Española*, Barcelona, 1946, 2 v.

ÁNGEL VALBUENA y PRAT, *La Novela Picaresca Española*, Madrid, 1949.

GARCILASO DE LA VEGA, *Obras* (edic. de T. Navarro Tomás), *CC*, Madrid, 1948.

KARL VOSSLER, *Algunos Caracteres de la Cultura Española*, Buenos Aires, 1943.

KARL VOSSLER, *Die Dichtungsformen der Romanen*, Stuttgart, 1951.

* *

BRUCE W. WARDROPPER, "El trastorno de la moral en el *Lazarillo*", *NRFH*, XV (1961), pp. 441-447.

W. WORRINGER, *Formprobleme der Gotik*, Munich, 1911.

* *

ALONSO ZAMORA VICENTE, *Presencia de los clásicos*, Buenos Aires, 1951.

III. Ediciones consultadas

La Vida de Lazarillo de Tormes, edic. de Adolfo BONILLA y SAN MARTÍN, Madrid, 1915.

La Vida de Lazarillo de Tormes, edic. de Alfredo CAVALIERE, Napoli, 1955.

La Vida de Lazarillo de Tormes, edic. de Julio CEJADOR y FRAUCA, *CC*, Madrid, 1949.

La Vida de Lazarillo de Tormes, edic. de Luis Jaime CISNEROS, Buenos Aires, 1946.

La Vida de Lazarillo de Tormes, edic. de Ángel GONZÁLEZ PALENCIA, Zaragoza, 1950.

La Vida de Lazarillo de Tormes, edic. de Á. VALBUENA y PRAT, en *La Novela Picaresca Española*, pp. 84-111.

XIII. INDEX NOMINUM

A

B

C

Ch

D

E

F

G

N

O

P

Q

R

S

T

U

V

W

Z

XIV. INDEX RERUM

A

B

F

G

H

I

J

L

LL

M

N

O

P

R

S

T

U

V

Y

Z

ADDENDA ET CORRIGENDA

I. ADDENDA

* *Página 90, línea 15, dice,*

> El lector de entonces —también el de ahora . . .

y debe añadirse,

> pero téngase en cuenta lo que advierte el profesor Charles S. Singleton en *Dante Studies II* (Cambridge, 1958), p. 7 *s.*

* *Página 98, nota 8, al final de la nota debe añadirse,*

> Véase también Leo Spitzer en sus *Romanische Literaturstudien,* p. 107 *s.*

* *Página 123, nota 24, al final de la nota debe añadirse,*

> pero véase también la exposición tan detalllada que hace J. Corominas, *op. cit.,* tomo II, p. 1049 *s.*, *s.v.*, 'JERGA II'.

* *Página 214, línea 19, debe añadirse,*

JUAN B. AVALLE-ARCE, "Tres comienzos de novela", *Papeles de Son Armadans*, XXXVII (1965), pp. 182-214. Interesante artículo que no he podido tener en cuenta, pues me llegó cuando este libro ya estaba en prensa.

* *Página 215, línea 20, debe añadirse,*

E. W. HESSE y H. F. WILLIAMS, edits., *El Lazarillo*, con introducción de Américo Castro. Tomo la nota del *art.* del Prof. A. A. Sicroff que cito más abajo.

* *Página 217, línea 24, debe añadirse,*

G. FENWICK JONES, en *Studia Philologica*, XXXIV (Uppsala, 1962), pp. 90-103.

* *Página 219, línea 17, debe añadirse,*

ALBERT A. SICROFF, "Sobre el estilo del *Lazarillo de Tormes*", *NRFH*, XI (1957), pp. 157-170. Por razones que no es el caso de explicar ahora, este artículo me llegó una vez impreso mi libro, lo que lamento sobremanera.

II. CORRIGENDA

* *Página 42, línea 22, dice,*

ha ser

y debe decir,

ha de ser

* *Página 59, nota 3, línea 5, dice,*

contana el cuento

y debe decir,

contaua el cuento

* *Página 88, línea 7, dice,*

conde de Alarcos

y debe decir,

conde Alarcos

* *Página 131, línea 7, dice,*

comprender lo que *La Vida del Lazarillo de Tormes* es . . .

y debe decir,

comprender lo que *La Vida de Lazarillo de Tormes* es . . .

* *Página 174, línea 9, dice,*

dandeles priessa . . .

y debe decir,

dandoles priessa . . .

* *Página 227, línea 18, dice,*

Ulmann, Shephen,

y debe decir,

Ulmann, Stephen,